세종
한국어

― 교사용 지도서 ―

4

문화체육관광부
국립국어원

발간사

최근 전 세계인이 접하는 한류 콘텐츠의 규모가 늘어나면서 한류 문화가 확산되고 있고, 그 결과로 한국어를 배우고자 하는 외국인 학습자의 기세가 매우 놀랍습니다. 세계 곳곳이 코로나19로 침체기를 겪던 2021년에도 한국어능력시험 응시자는 30만 명을 훌쩍 넘었으며, 문화체육관광부의 세종학당은 2007년 13곳에서 2022년에는 84개국 244개소로 증가하였습니다. 이러한 한류의 지속적인 확산을 뒷받침하기 위해서는 한국어교육의 탄탄한 지원이 필요합니다.

한류 콘텐츠와 함께 성장하는 한국어교육의 토대를 다지기 위해, 문화체육관광부와 국립국어원은 2011년 처음 발간된 《세종한국어》를 새로 다듬기로 하였습니다. 2019년부터 기초 연구를 시작한 교재 개정 작업은 3년의 시간을 들여, 2022년 드디어 새로운 《세종한국어》를 펴내게 되었고, 이를 세종학당재단과 함께 알리게 되었습니다.

새롭게 개정된 《세종한국어》는 첫째, 세종학당 곳곳에서 한국어를 배우고자 하는 열의로 가득 찬 외국인 학습자 중심의 교재를 지향하였습니다. 둘째, 현지 세종학당의 학습 환경에 따라 유연하게 활용할 수 있는 맞춤형 교재로 정비되었습니다. 셋째, 한류 콘텐츠에 대한 외국인들의 관심을 내용에 반영함으로써, 한국어 공부에 대한 학습자의 부담을 낮췄습니다. 마지막으로 세종학당을 대표하는 표준 교재로서 구심점 역할을 담당하고, 이후의 한국어 학습을 위한 연계성도 잘 갖추었습니다.

세종학당은 한국어와 한국 문화로 한국과 세계를 연결하는 대한민국 대표의 국외 한국어교육 기관입니다. 국립국어원과 문화체육관광부는 앞으로도 세종학당재단과 협력하여 전 세계에서 한국어를 사랑하는 이들이 꿈을 이룰 수 있도록 지속적인 노력과 지원을 아끼지 않겠습니다.

끝으로 교재 개발을 위해 최선의 노력을 기울여 주신 연구·집필진과 출판사 관계자분들께 진심으로 감사의 말씀을 드립니다. 《세종한국어》의 새로운 출발과 함께 문화체육관광부와 국립국어원, 세종학당재단이 세계로 더 나아갈 수 있도록 여러분의 따뜻한 관심 부탁드립니다.

2022년 8월
국립국어원장 장소원

머리말

세종학당은 한국과 전 세계를 연결하는 한국어·한국 문화 보급 기관입니다. 이번에 개발한 교재는 상호 문화주의에 기반하여 한국어 학습에 대한 학습자의 흥미를 증진함으로써 한국어 의사소통 능력을 향상시키는 것을 목표로 하였습니다. 이를 위해 최근 한국의 상황을 적극적으로 반영하였고 최신 교수법을 구현할 수 있는 새로운 구성과 디자인을 적용하였습니다. 이를 통해 국외 한국어교육의 방향성을 새롭게 제시하고자 하였습니다. 개정《세종한국어》의 구체적 특징은 다음과 같습니다.

첫째, 세종학당의 표준 교육과정인 가형, 나형, 다형 전 과정에 탄력적으로 활용할 수 있도록 '기본 교재'와 '더하기 활동 교재'로 구분하였습니다. '기본 교재'에는 해당 등급에 필요한 핵심적인 내용을 담았으며, '더하기 활동 교재'에는 심화·확장이 필요한 언어 지식과 의사소통 활동을 담았습니다. 이를 통해 다양한 학습자 특성에 맞게 교재를 선택하여 사용할 수 있도록 하였습니다.

둘째, 효과적 교수·학습을 위해 단계별로 단원 구성을 차별화하였으며 학습 내용 또한 언어 발달 단계에 맞는 교수 학습 내용과 절차를 적용하였습니다. 특히 다양한 삽화와 시각적 자료를 적극적으로 제시하여 한국어 학습의 흥미를 극대화할 수 있도록 노력하였습니다.

셋째, 교재 전반에 생생한 한국 문화 내용을 배치하여 학습자들이 상호 문화적 관점에서 한국 문화를 이해하고, 궁극적으로는 자국의 문화와 한국 문화에 대한 바른 태도를 형성할 수 있도록 하였습니다.

넷째, 교재와 함께 '익힘책', '교사용 지도서', '어휘·표현과 문법', 수업용 PPT와 같은 보조 자료들을 개발하여 교사·학습자의 요구에 맞게 교재를 활용할 수 있도록 하였습니다.

이 교재를 기획하고 개발하는 모든 과정에 함께해 주신 국립국어원과 현지 학당과의 협조와 지원을 아끼지 않으신 세종학당재단, 그리고 학습자들이 재미있게 한국어를 배울 수 있도록 멋지게 디자인해 주신 공앤박출판사에 감사의 마음을 전하고 싶습니다. 끝으로 3년이라는 긴 시간 동안 오로지 한국어교육에 대한 열정으로 좋은 교재를 만들어 내기 위해 애써 주신 모든 집필진께 말로는 다할 수 없는 깊은 감사의 마음을 전합니다.

2022년 8월
저자 대표 이정희

발간사 3 · 머리말 4

1부   공통 내용

1. 교재의 구성 · 8   2. 교육과정(시수)에 따른 교재 활용 · 9   3. 교재 활용 및 세부 지침 · 12

2부   단원별 내용

4A

01   여건이 된다면 외국에서 1년쯤 살아 봤으면 해요 · 28

02   한 번쯤 가 볼 만한 곳이야 · 30

03   드디어 새 앨범이 나온대 · 32

04   폭설로 인해서 많은 피해가 발생하고 있습니다 · 34

05   어떤 앱을 주로 사용하냐면요 · 36

06   마늘은 면역력을 높여 줄 뿐만 아니라 암 예방에도
     좋습니다 · 38

07   버스가 흔들려서 넘어질 뻔했어요 · 40

08   가을이 되면 잘 익은 감이 주렁주렁 달렸다 · 42

09   이번 주 방송 정말 볼 만하지 않았어? · 44

10   주인공이 책상 위를 보더니 깜짝 놀라서 무엇인가를
     찾기 시작하는 거야 · 46

11   저는 춘천에 대해 소개하겠습니다 · 48

12   한국에 대해 발표하고자 합니다 · 50

4B

01   뭐든지 적극적인 데다가 유머 감각도 있어요 · 52

02   처음 만났을 때는 얌전한 성격인 줄 알았거든 · 54

03   사업을 시작할까 아니면 회사에 취직할까
     고민이야 · 56

04   그때 그 꿈을 포기하지 말았어야 했는데 · 58

05   40대는 청소년들에 비해서 결혼을
     해야 한다는 응답이 많았습니다 · 60

06   식당에서 직원을 어떻게 부르는지 알아요? · 62

07   저는 하늘길을 관리하는 일을 합니다 · 65

08   삶에 대한 가르침을 줬다는 점에서 존경을
     받습니다 · 67

09   갈수록 현금을 사용하는 사람들이 줄어들고
     있습니다 · 69

10   저는 인터넷에서 실명을 써야 한다고 생각해요 · 71

11   10년 후엔 행복한 가정을 이루고 있지 않을까
     싶어요 · 73

12   벌써 졸업을 한다니! 믿기지가 않습니다 · 75

1부

공통 내용

1. 교재의 구성

이 교재는 [기본 교재]와 [더하기 활동 교재]로 구성되어 있다. [기본 교재]와 [더하기 활동 교재]는 상호 연관되어 있으며, [기본 교재]를 핵심적으로 다루되 [더하기 활동 교재]에서 필요한 부분을 보충할 수 있도록 구성하였다.

[기본 교재]와 [더하기 활동 교재]의 구성은 다음과 같다.

[기본 교재]

도입	문법	듣고 말하기	대화	대화 속 문법	어휘와 표현	읽고 쓰기	자기 점검

[더하기 활동 교재]

언어 지식			의사소통		
문법	대화 속 문법	어휘와 표현	듣고 말하기	읽고 쓰기	더 읽어 보기

〈[기본 교재]와 [더하기 활동 교재]의 구성〉

[기본 교재]는 '도입', '문법', '듣고 말하기', '대화', '대화 속 문법', '어휘와 표현', '읽고 쓰기'로 이루어져 있다. 이 중에서 '듣고 말하기', '읽고 쓰기'는 네 가지 언어 기능을 골고루 수행하게 하는 활동 부분이다. '듣고 읽기'와 '말하고 쓰기', '듣고 쓰기'와 '읽고 말하기'와 같이 단원에 따라서 활동의 배치가 달라질 수 있다.

[더하기 활동 교재]는 '문법', '대화 속 문법', '어휘와 표현', '듣고 말하기', '읽고 쓰기', '더 읽어 보기'로 구성되어 있다. 이 중 '듣고 말하기'와 '읽고 쓰기'는 [기본 교재]의 해당 단원과 연동되어 단원에 따라서 활동의 배치가 달라질 수 있다.

[기본 교재]와 [더하기 활동 교재]는 교육과정 유형에 따라서 유연하게 활용될 수 있다. [기본 교재]는 교육과정 유형에 상관없이 〈가〉, 〈나〉, 〈다〉형 교육과정에서 필수적으로 사용한다. [더하기 활동 교재]는 학당별로 추가 선택을 하여 학당의 상황에 맞게 교재를 활용할 수 있다.

〈가〉형의 교육과정을 운영하는 세종학당에서는 [기본 교재]를 단독으로 사용하며, 필요한 경우에 [더하기 활동 교재]의 일부를 상황에 따라 선택적으로 사용할 수 있다.

〈나〉형의 교육과정을 운영하는 세종학당에서는 학습자의 요구를 반영하여 [기본 교재]에 [더하기 활동 교재]를 추가해 수업을 할 수 있다. 언어 지식 함양에 대한 학습자 요구가 높은 학당에서는 [기본 교재]에 [더하기 활동 교재]의 '문법', '대화 속 문법', '어휘와 표현'을 추가할 수 있으며, 의사소통 능력 함양에 대한 학습자 요구가 높은 학당에서는 [기본 교재]에 [더하기 활동 교재]의 '듣고 말하기', '읽고 쓰기'를 추가하여 수업 운영이 가능하다.

〈다〉형의 교육과정을 운영하는 세종학당에서는 [기본 교재]에 [더하기 활동 교재]의 전체를 수업하는 방식도 가능하다. 〈가〉, 〈나〉, 〈다〉의 교육과정 유형별 차시 구성의 예시는 다음과 같다.

교육과정 유형	권장 수업 시수	활용 교재
〈가〉형	주 3차시(150분)	[기본 교재] 전체
〈나〉형	주 4 ~ 5차시(200 ~ 250분)	[기본 교재] 전체 + [더하기 활동 교재] 일부
〈다〉형	주 6차시(300분)	[기본 교재] 전체 + [더하기 활동 교재] 전체

〈교육과정 유형별 차시 구성 및 활용 교재〉

4단계 교재는 4A, 4B로 나누어지며 각각 12개 단원으로 구성되어 있다. 교재 한 권을 한 학기 또는 두 학기에 사용하는 학당에서는 다음과 같이 교재를 활용해 학기를 구성할 수 있다.

한 학기에 교재 한 권 사용	오리엔테이션	1~6과	복습, 문화 활동, 중간 평가 등	7~12과	수료 평가
두 학기에 교재 한 권 사용	오리엔테이션	1~3과	복습, 문화 활동 등	4~6과	중간 평가
	오리엔테이션	7~9과	복습, 문화 활동 등	10~12과	수료 평가

〈학기별 운영 상황에 따른 교재 활용의 예시〉

2. 교육과정(시수)에 따른 교재 활용

본 교재는 [기본 교재]와 [더하기 활동 교재]로 구성되어 있으므로 교육과정 유형(시수)에 따라 다양한 활용이 가능하다. 다만 [기본 교재]는 해당 수준에서 다뤄야 할 핵심 내용을 담고 있고 [더하기 활동 교재]는 [기본 교재]를 토대로 더 많은 연습과 활동을 할 수 있도록 추가된 것이므로 이를 학당별 시수에 적합하게 적용할 것을 권장한다.

〈가〉형의 주당 150분 수업, 〈나〉형의 주당 200분 및 250분 수업, 〈다〉형의 주당 300분 수업을 예로 들어, 한 주에 한 단원을 학습하는 것으로 가정하여 수업 시간을 제시하면 다음과 같다. 아래 표에서 [기본 교재]가 활용되는 부분은 〔　　　　〕으로, [더하기 활동 교재]가 활용되는 부분은 〔　　　　〕으로 표시하였다.

〈가〉형 기본 수업 = 150분(3시수)

항목	도입	문법	듣고 말하기	대화	대화 속 문법	어휘와 표현	읽고 쓰기	자기 점검
권장 시간	10′	25′	30′	10′	15′	25′	30′	5′
시수당 50분	1교시		2교시				3교시	
시수당 75분	1교시			2교시				

일주일에 150분 또는 3시수의 수업으로 한 학기에 한 권을 가르치는 학당에서는 [기본 교재]를 순서대로 모두 가르칠 것을 권장한다.

〈나〉형 지식 강화 수업 = 200분(4시수)

항목	도입	문법	문법	듣고 말하기	대화	대화 속 문법	대화 속 문법	어휘와 표현	어휘와 표현	읽고 쓰기	자기 점검
권장 시간	10′	25′	15′	30′	10′	15′	15′	25′	20′	30′	5′
시수당 50분	1교시			2교시			3교시		4교시		
시수당 75분	1교시				2교시				3교시(50분)(다음 단원 25분 추가)		

〈나〉형 활동 강화 수업 = 200분(4시수)

항목	도입	문법	듣고 말하기	대화	대화 속 문법	어휘와 표현	읽고 쓰기	듣고 말하기	읽고 쓰기	더 읽어보기	자기 점검
권장 시간	10′	25′	30′	10′	15′	25′	30′	20′	20′	10′	5′
시수당 50분	1교시			2교시			3교시	4교시			
시수당 75분	1교시				2교시			3교시(50분)(다음 단원 25분 추가)			

일주일에 200분 또는 4시수의 수업으로 한 학기에 한 권을 가르치는 학당에서는 [기본 교재]의 '문법', '대화 속 문법', '어휘와 표현'을 학습하고 [더하기 활동 교재]의 해당 관련 부분을 가르침으로써 언어 지식 영역을 강화할 수도 있고, [기본 교재]의 '듣고 말하기', '읽고 쓰기'를 학습하고 [더하기 활동 교재]의 해당 관련 부분과 '더 읽어 보기'를 다룸으로써 의사소통 영역을 강화할 수도 있다.

〈나〉형 집중 수업 = 250분(5시수)

항목	도입	문법	문법	듣고 말하기	대화	대화 속 문법	대화 속 문법	어휘와 표현	어휘와 표현	읽고 쓰기	듣고 말하기	읽고 쓰기	더 읽어 보기	자기 점검
권장 시간	10′	25′	15′	30′	10′	15′	15′	25′	20′	30′	20′	20′	10′	5′
시수당 50분	1교시			2교시		3교시			4교시		5교시			
시수당 75분	1교시				2교시						3교시		4교시(25분)(다음 단원 50분 추가)	

일주일에 250분 또는 5시수 수업으로 한 학기에 한 권을 가르치는 학당에서는 [기본 교재]의 각 부분을 학습하고 [더하기 활동 교재]의 해당 관련 부분을 모두 다룸으로써 언어 지식과 의사소통 영역을 모두 강화할 수 있다. 그러나 학당의 특성에 맞게 강화하고 싶은 기능에 좀 더 시간을 할애함으로써 일부의 영역(언어 지식 또는 의사소통)이나 기능(듣기, 말하기, 읽기, 쓰기)에 집중할 수도 있다.

〈다〉형 심화 수업 = 300분(6시수)

항목	도입	문법	문법	듣고 말하기	대화	대화 속 문법	대화 속 문법	어휘와 표현	어휘와 표현	읽고 쓰기	듣고 말하기	읽고 쓰기	더 읽어 보기	자기 점검
권장 시간	10′	25′	25′	30′	15′	20′	25′	25′	25′	30′	25′	25′	15′	5′
시수당 50분	1교시		2교시		3교시			4교시		5교시		6교시		
시수당 75분	1교시			2교시				3교시			4교시			

일주일에 300분 또는 6시수 수업으로 한 학기에 한 권을 가르치는 학당에서는 [기본 교재]와 [더하기 활동 교재]를 순서대로 모두 가르칠 것을 권장한다. 심화 수업에서는 〈나〉형 집중 수업에 비해 각 항목에 대한 수업 시간을 충분히 확보하여 풍부하게 활동을 수행할 수 있다.

3. 교재 활용 및 세부 지침

[기본 교재]와 [더하기 활동 교재]는 다음과 같이 구성되었으므로 이를 참고해 수업에서 활용할 수 있다.

도입

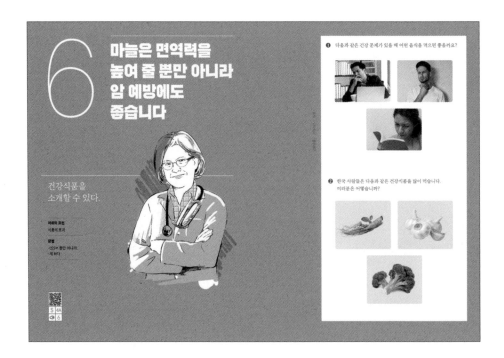

[기본 교재]의 '도입'은 해당 단원의 주제와 관련이 있는 장면이나 한국의 문화 지식을 제시하고자 하였다. 또한 해당 단원에서 배울 내용에 대한 배경지식을 활성화하여 학습자들이 재미있고 쉽게 주제에 친숙해지도록 구성하였다. 따라서 도입 부분의 사진이나 삽화를 통해 생각해 보거나 도입의 질문을 통해 말해 보기 등을 충분히 할 수 있도록 한다.

- '도입'은 총 2쪽으로 이루어져 있다. 첫 번째 페이지는 단원명, 관련 사진 및 삽화, 학습 목표로 이루어져 있어 해당 단원의 학습 내용과 목표를 명료하게 전달할 수 있다.

- 두 번째 페이지는 단원의 주제와 관련된 대화를 나눌 수 있도록 간단한 질문과 도입 자료가 제시되어 있다. 학습자들과 관련 대화를 나누면서 주제에 대한 경험을 공유하고 관심을 가질 수 있도록 한다.

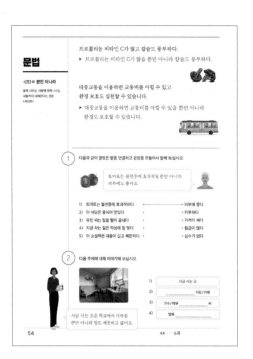

[기본 교재]의 '문법'은 해당 단원에서 배워야 하는 문법 항목을 선정하였다. 해당 문법 항목의 의미 설명을 해당 문법 아래에 두었다. 무엇보다 목표 문법 항목을 학습함으로써 좀 더 수준 높은 표현을 할 수 있음을 보여 주기 위해, 두 가지의 예문을 함께 제시하였다.

1번은 단순하고 유도된 연습을 통해 해당 문법을 익히도록 하였다. 2번은 1번에서 익힌 연습의 확장 또는 유의적 연습으로 짝 활동, 모둠 활동으로 구성하였다.

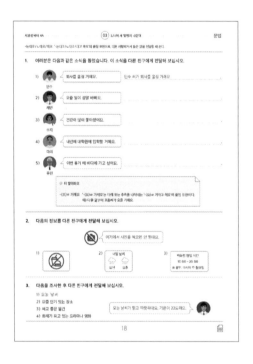

[더하기 활동 교재]의 '문법'은 [기본 교재]에서 배운 '문법'에 대한 확장으로, 더 많은 연습을 할 수 있도록 가능한 한 [기본 교재]의 연습과는 다른 유형을 제시하였다.

1) 목표 문법 및 예문 제시: 기본 교재 상단

- 삽화를 보면서 질문하고 대답하는 과정을 통해 자연스럽게 목표 문법을 노출하도록 한다.
- 제시된 예문을 살펴보면서 목표 문법 항목을 통해 새롭게 표현할 수 있음을 알며 도입한다.
- 문법의 형태를 제시하고 의미를 설명한다. 각 문법의 규칙, 제약, 추가적인 의미 등을 설명한다.
- 교재에 제시된 문장을 학습자와 함께 읽어 본다.

2) 기계적 연습 또는 문장 완성하기: 기본 교재 1번, 더하기 활동 교재 1번, 2번

- 명사 / 동사 / 형용사 활용의 경우 단어 카드를 사용해 연습한다.
- 문장 카드를 사용해 연습한다. 목표 문법에 따라 연결 연습이나 응답 연습을 할 수 있다.
- 학습자들에게 시간을 주고 교재의 문제를 풀어 보게 한다. 교사는 학습자가 문제를 푸는 동안 교실을 돌아다니며 학습자들이 문제를 잘 풀고 있는지 확인한다.
- 학습자들이 각자 문제를 풀었으면 동료 학습자와 답을 맞춰 보거나 말하기 연습을 하게 한다.
- 학습자들에게 대화를 해 보게 하고 교사와 함께 답을 함께 맞춰 보면서 의미를 확인한다. 이때 가, 나 대화쌍은 교사-학습자, 학습자-학습자 등 다양한 방법으로 질문하고 대답해 볼 수 있다. 교사가 학습자에게 추가 질문을 하거나 학습자들끼리 짝을 지어 묻고 대답하는 방법을 통해 모든 학습자가 말하기 연습을 해 볼 수 있도록 한다.

3) 유의적 연습 또는 간단한 활동 및 대화 완성하기: 기본 교재 2번, 더하기 활동 교재 3번

- 학습자들에게 시간을 주고 문제를 풀어 보게 한다. 교사는 학습자가 문제를 푸는 동안 교실을 돌아다니며 학습자들이 문제를 잘 풀고 있는지 확인한다.
- 학습자들이 각자 문제를 풀었으면 동료 학습자와 답을 맞춰 보거나 말하기 연습을 하게 한다.
- 학습자들에게 대화를 해 보게 하고 교사와 함께 답을 맞춰 보면서 의미를 확인한다. 이때 가, 나 대화쌍은 교사-학습자, 학습자-학습자 등 다양한 방법으로 질문하고 대답해 볼 수 있다. 교사가 학습자에게 추가 질문을 하거나 학습자들끼리 짝을 지어 묻고 대답하는 방법을 통해 모든 학습자가 말하기 연습을 해 볼 수 있도록 한다.

듣고
말하기

[기본 교재]의 '듣고 말하기'는 듣기, 말하기 기능에 초점을 두었다. 단원에 따라 듣기, 말하기 외의 다른 언어 기능으로 교체될 수 있다. '도입'에서부터 다룬 단원의 주제, '문법'에서 학습한 문법 항목을 활용하여 언어 기능을 수행할 수 있도록 하였다.

1번은 듣기 활동으로 전체 내용 파악하기, 핵심 내용 파악하기, 세부 내용 파악하기 등 듣기 담화를 이해할 수 있도록 하는 활동 문제가 함께 제시되어 있다.

2번은 말하기로 단원의 주제와 관련되어 있는 소재에 대해 대화나 발표를 수행할 수 있도록 하였다.

교재의 곳곳에 '더 알아봐요'를 둠으로써 보충적인 내용들을 교사와 함께 학습할 수 있도록 하였다.

1) 듣기: 기본 교재 1번

- 학습자들과 함께 그림 등을 이용하여 어떤 주제에 대해 듣고 말할지 간단하게 이야기해 본다. 이때 해당 주제에 대해 학습자들의 개인적인 경험을 질문해 볼 수 있다.
- 지시문을 읽는다. 대화자, 대화 상황이 무엇인지 질문을 통해 확인한다.
- 문제를 읽어 본다. 삽화가 있다면 학습자들에게 삽화와 관련하여 간단하게 질문해 본다. 이때 듣기에 나올 어휘 중 중요한 어휘 혹은 학습자들이 모를 만한 어휘를 알려 준다.
- 듣기를 듣게 하고 대화 내용과 관련하여 핵심적인 내용을 파악할 수 있는 질문을 한다.
- 듣기를 다시 듣고 학습자들이 교재에 제시된 질문에 답할 수 있도록 한다.
- 답을 확인한다. 교재의 질문 이외에도 세부적인 내용을 파악할 수 있는 질문을 해 본다.
- 내용 파악이 끝난 후에는 책을 보지 않고 듣기를 들으며 한 문장씩 따라 말하게 하거나, 학습자들이 동료와 나누어 읽도록 한다.

2) 말하기: 기본 교재 2번

- 주제에 관련된 말하기 활동을 해 볼 수 있도록 한다.
- 교재에 제시된 예문을 학습자들과 함께 읽어 본다.
- 학습자가 자신의 정보를 활용하는 경우는 자신의 정보를 작성할 시간을 준다.
- 짝이나 팀을 정해 학습자들이 말하기 활동을 할 수 있도록 한다.
- 일정 시간 연습한 후에 짝 활동이나 팀 활동으로 발표를 해 보도록 한다. 발표의 경우 활동의 특성이나 교실 상황에 따라 유동적으로 운영할 수 있으나 가능한 많은 학습자들이 참여할 수 있도록 한다.

[기본 교재]의 '대화'는 해당 단원의 주제로 구성된 실제적인 대화문 또는 담화를 제시하였다. '대화'의 앞부분에는 어떤 상황에서 대화가 진행되는지를 알 수 있도록 지시문을 두었다. 이는 지시문 자체가 대화문의 배경지식을 활성화하도록 하였으므로 이를 대화문 도입으로 사용할 것을 권장한다. '대화' 다음에는 이해 확인 질문을 두어 대화문에 대한 전반적인 이해를 점검할 수 있게 하였다.

대화문 옆에는 '더 알아봐요'를 둠으로써 보충적인 내용들을 교사와 함께 학습할 수 있도록 하였다.

'대화 속 문법'은 대화문에서 나온 새로운 문법 중 학습할 만한 문법 항목을 선정하였다. 해당 문법 항목의 의미 설명을 해당 문법 아래에 두었으며 단순하고 유도된 연습을 두어 해당 문법을 익히도록 하였다.

또한 짝수 단원에서는 '발음'이 제시된다. '발음'은 대화문에서 제시된 표현 중 4단계 학습자가 언어 지식으로 익힐 시 도움이 되는 항목을 선정하였으며, 목표 항목과 실제 발음, 발음의 원리를 제시하였고 연습할 수 있는 예문을 제시하였다.

[더하기 활동 교재]의 '대화 속 문법'은 [기본 교재]에서 배운 '대화 속 문법'에 대한 확장의 개념이다. [기본 교재]에서 부족할 수 있는 연습을 확보하기 위하여 가능한 한 [기본 교재]의 연습과는 다른 유형을 제시하였다.

1) 대화문 제시 및 확인: `기본 교재` '대화'

- 지시문을 읽고 삽화를 보면서 질문하고 대답하는 과정을 통해 자연스럽게 '대화'의 내용이 무엇인지 이야기해 보게 한다.
- '대화'를 듣게 하고 대화 내용과 관련하여 핵심적인 내용을 파악할 수 있는 질문을 한다.
- '대화'를 다시 듣고 학습자들이 교재에 제시된 질문에 답할 수 있도록 한다.
- 답을 확인한다. 교재의 질문 이외에도 세부적인 내용을 파악할 수 있는 질문을 해 본다.
- 내용 파악이 끝난 후에는 책을 보지 않고 듣기를 들으며 한 문장씩 따라 말하게 하거나, 학습자들이 동료와 나누어 읽도록 한다.
- '더 알아봐요'를 통해 보충적인 내용을 학습한다.

2) 대화 속 문법: `기본 교재` 대화 속 문법

- 대화 속에 목표 문법이 사용된 문장을 주목하게 하면서 어떤 의미인지 질문하여 도입한다.
- 예문을 살펴보면서 문법의 형태를 제시하고 의미를 설명한다. 각 문법의 규칙, 제약, 추가적인 의미 등을 설명한다.
- 교재에 제시된 예문을 학습자와 함께 읽어 본다.

3) 기계적 연습 또는 문장 완성하기: `기본 교재` 대화 속 문법 1번, `더하기 활동 교재` 1번, 2번

- 명사/동사/형용사 활용의 경우 단어 카드를 사용해 연습한다.
- 문장 카드를 사용해 연습한다. 목표 문법에 따라 연결 연습이나 응답 연습을 할 수 있다.
- 학습자들에게 시간을 주고 문제를 풀어 보게 한다. 교사는 학습자가 문제를 푸는 동안 교실을 돌아다니며 학습자들이 문제를 잘 풀고 있는지 확인한다.
- 학습자들이 각자 문제를 풀었으면 동료 학습자와 답을 맞춰 보거나 말하기 연습을 하게 한다.
- 학습자들에게 대화를 수행하게 해, 교사와 함께 답을 맞춰 보면서 의미를 확인한다. 이때 가, 나 대화쌍은 교사-학습자, 학습자-학습자 등 다양한 방법으로 질문하고 대답해 볼 수 있다. 교사가 학습자에게 추가 질문을 하거나 학습자들끼리 짝을 지어 묻고 대답하는 방법을 통해 모든 학습자가 말하기 연습을 해 볼 수 있도록 한다.

4) 유의적 연습 또는 간단한 활동 및 대화 완성하기: `더하기 활동 교재` 3번

- 교재에 제시된 지시문을 읽는다.
- 예문을 학습자들과 함께 읽어 본다.
- 예문을 통해 연습 유형을 학습자들에게 설명한다.
- 학습자들에게 대화를 수행하게 해, 교사와 함께 답을 맞춰 보면서 의미를 확인한다. 이때 가, 나 대화쌍을 교사-학습자, 학습자-학습자 등 다양한 방법으로 질문하고 대답해 볼 수 있다. 교사가 학습자에게 추가 질문을 하거나 학습자들끼리 짝을 지어 묻고 대답하는 방법을 통해 모든 학습자가 말하기 연습을 해 볼 수 있도록 한다.

5) 발음: `기본 교재` 하단

- '대화' 속에서 발음 항목과 관련된 부분에 주목하게 하고 이를 어떻게 발음하는지 질문하여 도입한다.
- 예문을 보며 어떻게 발음될지 학습자들에게 먼저 질문한다.
- 목표 항목과 예문을 통해 발음 규칙을 설명한다.
- 예문을 들으며 발음을 확인한다.
- 학습자들에게 예문을 읽게 하여 발음을 정확히 하는지 확인한다.
- 학습자의 발음이 틀릴 경우 교정해 준다.

<table>
<tr><td>

어휘와
표현

</td><td>

</td><td>

[기본 교재]의 '어휘와 표현'은 해당 단원에서 다루는 주제의 대표적인 어휘를 선정하되 덩어리 표현으로 제시하여 언어 사용에 초점을 두었다. '어휘와 표현'은 제시, 기계적 연습, 유의적 연습으로 구성하였다. 의미를 이해하는 활동에서 표현하는 활동으로 확장하여 학습자들이 배운 어휘와 표현을 맥락에 맞게 사용할 수 있도록 하였다.

즉 1번은 문장 완성하기 등의 활동을 통해 기본적인 의미를 익히도록, 2번은 1번에서 배운 것이 '자기 발화'로 나타나 내재화되도록 구성하였다.

</td></tr>
<tr><td>

+어휘와
표현

</td><td>

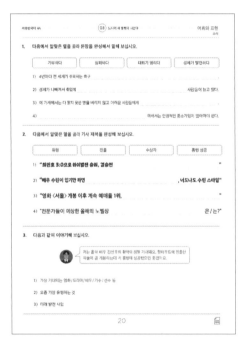

</td><td>

[더하기 활동 교재]의 '어휘와 표현'은 [기본 교재]에서 배운 내용을 바탕으로 유사한 연습을 추가적으로 수행할 수 있도록 하였다.

3번 활동의 경우 학습자가 자신의 정보를 활용하여 말하기 활동을 할 수 있도록 하였다.

</td></tr>
</table>

1) 어휘 제시: 기본 교재 상단

- '대화'에서 목표 어휘가 나온 부분에 주목하게 하여 유사한 의미 범주에 있는 어휘들을 확장하여 배워 보자고 하며 도입한다.
- 교재에 제시된 삽화를 적절히 활용하며 의미를 설명하고 확인한다.
- 새 어휘를 사용할 수 있는 연습 활동을 한다. 그림이나 어휘 카드를 사용해 교사가 학습자들에게 목표 어휘를 활용해 대답할 수 있도록 질문할 수 있으며, 학습자들에게 그림이나 어휘 카드를 나누어 주고 릴레이 연습이나 팀 대항 연습을 하게 할 수 있다.

2) 기계적 연습 또는 의미 확인: 기본 교재 1번, 더하기 활동 교재 1, 2번

- 교재에 제시된 질문을 읽고 문제에 대해 설명한다.
- 학습자들에게 시간을 주고 문제를 풀어 보게 한다.
- 학습자들이 각자 문제를 풀었으면 동료 학습자와 답을 맞춰 보거나 말하기 연습을 하게 한다.
- 학습자들에게 대화를 수행하게 해, 교사와 함께 답을 맞춰 보면서 의미를 확인한다. 이때 가, 나 대화쌍은 교사-학습자, 학습자-학습자 등 다양한 방법으로 질문하고 대답해 볼 수 있다. 교사가 학습자에게 추가 질문을 하거나 학습자들끼리 짝을 지어 묻고 대답하는 방법을 통해 모든 학습자가 말하기 연습을 해 볼 수 있도록 한다.

3) 유의적 연습 또는 간단한 활동: 기본 교재 2번, 더하기 활동 교재 3번

- 교재에 제시된 질문을 읽고 예문을 통해 문제에 대해 설명한다.
- 학습자들에게 대화를 수행하게 해, 교사와 함께 답을 맞춰 보면서 의미를 확인한다. 이때 가, 나 대화쌍은 교사-학습자, 학습자-학습자 등 다양한 방법으로 질문하고 대답해 볼 수 있다. 교사가 학습자에게 추가 질문을 하거나 학습자들끼리 짝을 지어 묻고 대답하는 방법을 통해 모든 학습자가 말하기 연습을 해 볼 수 있도록 한다.

　[기본 교재]의 '읽고 쓰기'는 읽기와 말하기 기능에 초점을 두었으며 단원에 따라 다른 언어 기능으로 교체될 수 있다. 단원에서 배운 내용을 종합적으로 활용하여 활동을 할 수 있도록 하였다.

　1번에는 읽기 지문과 읽은 내용에 대한 이해 확인 질문을 두었다. 2번에서는 읽은 내용을 바탕으로 자신의 이야기를 쓸 수 있도록 하였다. 1번에서 제시된 읽기 지문은 쓰기의 모범 글로 활용할 수 있도록 하였다.

　쓰기 활동의 부분은 학습자의 언어 수준, 요구 등을 고려해 시간 배분을 할 필요가 있다. 가능하면 수업 시간에 할 것을 권장하나 과제로 제시할 수도 있다. '통번역 활동'은 읽기, 쓰기 활동 중 하나에 연결하여 제시하였다. 활동 자료를 통역 또는 번역해 볼 수 있도록 함으로써 국외의 학습자들이 통번역을 연습해 볼 수 있는 기회를 마련하였다.

+읽고
쓰기
+듣고
말하기

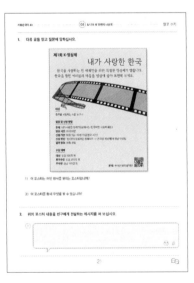

　[더하기 활동 교재]의 '읽고 쓰기', '듣고 말하기'는 [기본 교재]의 종합적인 활동인 '읽고 쓰기'의 확장 활동이다.

　[기본 교재]의 활동과 유사한 수준의 다양한 언어 활동을 제시하였다.

1) 읽고 쓰기: 기본 교재 읽고 쓰기

- 학습자들과 함께 어떤 주제에 대해 읽고 쓸지 간단하게 이야기해 본다. 이때 해당 주제에 대해 학습자들의 개인적인 경험을 질문해 볼 수 있다.
- 텍스트를 읽는다.
- 학습자 스스로 텍스트를 읽고 문제를 풀어 볼 수 있는 시간을 준다.
- 학습자들이 동료 학습자들과 답을 맞춰 보게 한다.
- 학습자들에게 질문을 던져 학습자들이 이해하고 있는지 파악한다.
- 학습자들에게 텍스트를 읽게 하거나 교사가 텍스트를 읽으면서 해당 의미를 설명한다.
- 이해하지 못한 부분이 있는지 질문을 하고 이해 정도를 확인한다.
- 읽기 내용을 참고하여 쓰기 활동이 이루어질 수 있도록 한다. 쓰기 주제를 먼저 설명하도록 한다. 그리고 쓰기에 필요한 내용이 무엇인지, 어떤 순서로 내용을 쓰면 좋을지 질문을 통해 끌어내고 간단하게 설명한다.
- 학습자들이 쓸 정보를 메모하고 실제로 쓸 수 있는 시간을 준다.
- 학습자들이 쓰기 활동을 하는 동안 교사는 학습자의 글을 교정해 준다. 이때 맞춤법, 문장 구조 등을 수정해 준다.
- 쓰기 활동이 끝난 후에는 동료 학습자들과 바꾸어 읽거나 발표를 해 보도록 한다. 각 분반의 상황에 맞추어 모든 학습자들이 발표를 해 볼 수도 있고, 원하는 학습자 몇 명 정도만 발표해 볼 수도 있다. 이 외에도 다양한 방법을 통해 학습자들이 다른 학습자들의 글을 접해 보고 다양한 글쓰기 방법에 대해 자연스럽게 터득할 수 있도록 한다.

2) 통번역 활동: 기본 교재 통번역 활동

- 친구가 쓴 글이나 읽기 텍스트 등을 번역해 보거나, 친구의 말이나 듣기 담화를 통역해 보게 한다.
- 통역이나 번역 중에 어려운 부분을 어떻게 통번역할지 토의해 보게 한다.

3) 읽고 쓰기, 듣고 말하기: 더하기 활동 교재 읽고 쓰기, 듣고 말하기

- 1)과 유사한 방식으로 활동을 수행한다.

[더하기 활동 교재]의 '더 읽어 보기'는 단원을 마무리하면서 실제적인 자료를 접함으로써 실제에서의 적응력을 높이기 위한 것이다.

최대한 실제에 가까운 자료를 접하고 이해하게 함으로써 학습자의 흥미를 높일 뿐만 아니라 한국 문화에 대한 이해도 높일 수 있도록 하였다.

정리

[기본 교재]의 '자기 점검'은 해당 단원에서 배운 주제와 기능에 대한 질문을 두어 학습자가 성취한 수준을 확인하고 점검하도록 하였다. '자기 점검'이 형식적인 행위가 되지 않도록 학습자가 배운 주제와 기능에 대해 직접 말해 보게 하는 활동 등을 권장한다.

1) 더 읽어 보기: 더하기 활동 교재 더 읽어 보기

- '더 읽어 보기'를 훑어보며 무엇에 대한 내용인지 질문함으로써 도입한다.
- 각자 흥미에 따라 내용을 읽어 보게 한다.
- 내용 이해와 관련된 적절한 질문을 만들어 학습자들의 이해를 확인한다.
- 필요하다면 학습자가 스스로 질문을 만들어 학습자들끼리 질문과 대답을 주고받을 수 있다.
- '더 읽어 보기'에 나온 문화적인 내용과 관련하여 상호문화적인 학습을 유도할 수 있다.

2) 자기 점검: 기본 교재 자기 점검

- 단원에서 무엇을 배웠는지 질문을 통해서 확인한다. 주제에 대한 대화문을 유도하면 좋다. 이후에 '어휘와 표현', '문법' 중에 어떤 것을 배웠고 기억이 나는지 질문한다.
- 학습자들에게 '자기 점검'의 질문을 보고 스스로 학습한 바를 점검하게 한다.
- 교수자는 학습자들의 이후 학습에 대해 격려한다.

2부

단원별 내용

여건이 된다면
외국에서 1년쯤
살아 봤으면 해요

도입	12~13쪽

□ 그림 속 사람들의 소원이 무엇인지 이야기한다. 그리고 자기의
   소원에 대해서도 이야기해 보게 한다.
   예 복권 당첨, 시간 여행하기, 초능력 갖기 등

□ 한국 사람들의 새해 소망에 대한 조사 결과를 보며 같이 이야기
   해 본다.
   ① '한국 사람들의 새해 소망'은 매해 달라질 수 있으므로 해당 연
      도의 자료를 추가로 준비할 수 있다.
   ② 교사는 학생들 나라 사람들의 새해 소망에 대한 조사 자료를
      준비하여 비교하도록 할 수 있다.

문법	-는다면 / ㄴ다면 / 다면	14쪽

□ **설명**
   • 의미
   앞에 나오는 내용이 가정이나 조건임을 나타낸다.
   • 형태

동사+ 는다면 / ㄴ다면	형용사+다면	명사+(이)라면 명사+이 / 가 아니라면
믿다 → 믿는다면	부럽다 → 부럽다면	소원 → 소원이라면

• 예문
   노래를 잘 부른다면 가수가 되고 싶어요.
   자동차가 있다면 주말마다 여행을 갈 거예요.
   제가 선생님이라면 숙제를 조금만 줄 것 같아요.

□ **특징 및 제약**
   ① '-는다면 / ㄴ다면 / 다면'과 '-(으)면'

-는다면 / ㄴ다면 / 다면	-(으)면
가정의 의미를 나타낼 때 둘 다 사용할 수 있음. 예 한국에 간다면 다양한 한국 음식을 먹어 볼 거예 요. / 한국에 가면 다양한 한국 음식을 먹어 볼 거예 요.	
가정의 의미가 강하기 때문 에 불가능한 상황, 일어날 가능성이 낮은 상황에 자주 쓰임. 예 외계인을 만난다면 어떤 기분일까?	현실에서 일어날 가능성이 있는 일에 자주 쓰임. 예 방학 때 운전면허를 따 면 부모님을 모시고 같 이 여행을 다닐 거예요.

   ② 과거에 대한 가정은 '-았다면 / 었다면'과 같이 사용한다.
      예 어제 조금만 더 일찍 도착했다면 널 만날 수 있었을 텐데.

듣고 말하기	15쪽

□ **듣기**
   ① 1)번 문제를 보며 듣기의 목표(재민 씨가 자유 시간에 하고 싶
      어 하는 일 듣기) 확인하기
   ② 음원을 들으며 1)번 문제를 풀고 확인하기
   ③ 2)번 문제를 보고 들으면서 파악해야 할 세부 내용 확인하기
   ④ 음원을 들으며 2)번 문제를 풀고 확인하기

□ **말하기**
   소요 시간 및 학생 수를 고려하여 두 가지 방식으로 진행할 수 있다.

방식 1	① 예문 살펴보기 → ② 메모하며 발표 준비하 기 → ③ 준비한 내용을 한 명씩 발표하기
방식 2	① 예문 살펴보기 → ② 메모하며 말할 준비 하기 → ③ 짝 또는 그룹 활동으로 준비한 내용 이야기하기, 친구들의 소원을 듣고 메 모하기 → ④ 메모해 놓은 친구의 소원을 다 른 친구에게 소개하기

대화	16쪽

□ **대화문 확인**
① 대화문을 눈으로 읽으면서 대화의 음원을 듣게 하기
② 학생들에게 1)~3)의 질문하기
③ 대화문을 소리 내어 읽어 보기

⊕ **더 알아봐요**
〈대화〉 내용 중 안나가 머릿속으로 생각만 하고 있던 일을 구체적인 계획으로 세웠다는 것에 주목한다. 이와 관련지어 〈더 알아봐요〉의 '도전'과 '실천'의 중요성을 보여 주는 속담을 제시하고 설명한다.

＊ 학생들 나라에 비슷한 속담이 있는지 묻고 답할 수 있다.

대화 속 문법	-았으면/었으면 하다	16쪽

□ **설명**
• 의미
말하는 사람의 희망이나 바람을 나타낼 때 쓴다.

• 형태

동사 / 형용사+ 았으면 / 었으면 하다	명사+ 이었으면 / 였으면 하다
잡다 → 잡았으면 하다 행복하다 → 행복했으면 하다	경험 → 경험이었으면 하다

• 예문
죽기 전에 세계 여행을 해 봤으면 해요.
아이가 생기니까 집이 좀 더 넓었으면 해요.
네가 좀 더 다른 사람을 배려했으면 해.

□ **특징 및 제약**
① 주로 평서문, 의문문으로 쓰이며 청유문, 명령문으로 쓰기 어렵다.
② 바라는 시점이 현재인 경우 '-았으면/었으면 좋겠다'와 바꾸어 사용할 수 있으나 바라는 시점이 과거인 경우 '-았으면/었으면 하다'만 사용할 수 있다.
　⑩ 작년에 한국에 갔으면 했는데 못 갔다. (○)
　　작년에 한국에 갔으면 좋겠는데 못 갔다. (×)

어휘와 표현	소망	17쪽

□ **학습**
① 제시된 그림을 표현하는 어휘 찾기
② 어휘 설명하기

③ 어휘 소리 내어 읽어 보기
④ 제시된 어휘 중에서 자신의 소망이 있는지 이야기해 보기
　- 교재에서 제시한 아홉 가지 소망 외에 다른 소망은 무엇이 있을지 이야기할 수 있다.
　　⑩ 건강한 몸 만들기/스킨스쿠버 하기/전 세계 친구 만들기/악기 배우기/전국의 산 등산해 보기

읽고 쓰기	18~19쪽

□ **읽기**
① '더 알아봐요'를 보며 '버킷 리스트'가 무엇인지 이야기하기
② 버킷 리스트 동아리에 대한 글 읽기
③ 1), 2)번 문제를 풀기
④ 1), 2)번에 대한 답 확인하기

◉ **번역해 보기**
- 글의 내용을 학생들이 돌아가면서 한 문장씩 번역해 보게 한다.
- 친구의 번역과 자신의 번역이 같은지 비교해 보게 한다.

□ **쓰기**
① 각자 소망 목록을 적기
　- 교사는 사람들이 인터넷에 올려놓은 '나의 버킷 리스트'를 검색하여 추가로 제시해 줄 수 있다.
② 짝에게 보여 주며 자신의 소망 목록에 대해 이야기하기
③ 흥미로운 소망 목록 발표하기

더하기 활동 ｜ 11쪽

① 학생들에게 소원을 빌 때 어떻게 하는지 물어 보기
② 〈더 읽어 보기〉를 읽어 보며 한국 사람들은 소원을 어떻게 비는지 알아보기
③ 소원을 비는 방법에 대한 문화 차이에 대해 이야기해 보기
＊ 교사는 인터넷에서 소원을 비는 장면을 담은 사진을 찾아서 보여 줄 수 있다.

한 번쯤 가 볼 만한 곳이야

도입	20~21쪽

□ 그림 속 관광지에 대해 이야기해 보게 한다. 그리고 자기가 가 본 관광지에 대해서도 이야기해 보게 한다.

□ 한국의 유명 관광지를 같이 보며 이야기해 보고 학생들 나라의 유명 관광지에 대해서도 이야기해 보게 한다.
  - 교사는 한국의 유명 관광지에 대한 영상이나 사진 자료를 추가로 준비할 수 있다.
  - 교사는 학생들 나라 유명 관광지에 대한 자료를 미리 준비하여 학생들의 이야기를 이끌어 낼 수 있다.

문법	-(으)ㄹ 만하다	22쪽

□ **설명**
  • 의미
    앞의 행동을 할 가치가 있다는 것을 나타낸다.
  • 형태

동사+(으)ㄹ만하다
가다 → 갈 만하다

  • 예문
    이 영화는 액션 장면이 화려해서 볼 만해요.
    저 산은 위에서 내려다 보는 경치가 좋아서 올라가 볼 만하다.
    휴대폰 카메라인데도 선명하게 잘 나와서 사진을 찍을 만하다.

이 차를 산 지 7년 정도 됐는데 고장도 없고 아직 탈 만하다.

□ **특징 및 제약**
  '한번 해 볼 가치가 있다'고 말할 때는 '-아/어 보다'와 결합하여
  '-아/어 볼 만하다'의 형태로 말한다.

듣고 말하기	23쪽

□ **듣기**
  ① 1)번 문제를 보며 듣기의 목표 (주노가 추천하는 속초의 좋은 점) 확인하기
  ② 음원을 들으며 1)번 문제를 풀고 확인하기
    (속초가 좋았던 이유에 대해 추가 질문을 할 수 있음.)
  ③ 2)번 문제를 보고 들으면서 파악해야 할 세부 내용 확인하기
  ④ 음원을 들으며 2)번 문제를 풀고 확인하기

□ **말하기**
  소요 시간 및 학생 수를 고려하여 두 가지 방식으로 진행할 수 있다.

방식 1	① 예문 살펴보기 → ② 메모하며 발표 준비하기 → ③ 준비한 내용을 한 명씩 발표하기
방식 2	① 예문 살펴보기 → ② 메모하며 말할 준비하기 → ③ 짝 또는 그룹 활동으로 준비한 내용 이야기하기, 친구들의 경험을 듣고 메모하기 → ④ 친구들이 소개한 곳들 중 자신이 가 보고 싶은 곳을 골라 이야기하기

⊕ **더 알아봐요**
  〈대화〉 내용 중 '주노'의 표현을 다시 확인하며 명사가 뒤에 올 때는 '-(으)ㄹ 만한 +명사'의 형태로 사용함을 설명한다.
  '속초는 산도 있고 바다도 있어서 갈 만한 곳이 많다.'

대화	24쪽

□ **대화문 확인**
  ① 대화문을 눈으로 읽으면서 대화의 음원을 듣게 하기
  ② 학생들에게 1) ~ 3)의 질문하기
  ③ 대화문을 소리 내어 읽어 보기

대화 속 문법	-던데	24쪽

□ **설명**
  • 의미
    뒤에 나오는 내용과 관련 있는 과거의 경험이나 사실에 대해 말할 때 쓴다.

· 형태

동사 / 형용사+던데	명사+(이)던데
즐기다 → 즐기던데 여유롭다 → 여유롭던데	모습 → 모습이던데

· 예문

요즘 결석을 자주 하던데 무슨 일 있어요?

아까 점심 때 보니까 밥을 잘 못 먹던데 몸이 안 좋아요?

사진을 보니까 경치가 정말 멋있던데 우리 같이 한번 가 봐요.

저 영화는 생각보다 별로 재미없던데 보는 사람이 많네요.

□ **특징 및 제약**

① 주로 어떤 것을 설명하거나 질문, 제안, 부탁, 명령을 하기 위한 배경이 된다.

② 구어에서 많이 사용한다.

③ 1인칭 주어의 동작에는 사용하지 않는다.

　　예 제가 아까 도서관에 가던데 공부 많이 했어요? (×)

　　　마리 씨, 아까 도서관에 가던데 공부 많이 했어요? (○)

④ 심리, 기분, 감정, 느낌 등을 나타내는 형용사는 1인칭 주어와 함께 사용할 수 있다.

　　예 나는 비가 오면 우울하던데 너는 안 그래?

□ **유의 사항**

'-았/었-'과 함께 쓰이면 과거에 보거나 경험할 때 이미 완료된 상태임을 나타낸다.

　예 세종학당 근처에 식당이 새로 생겼던데 같이 가 볼래요?

　　성적이 많이 올랐던데 공부 열심히 했나 봐요.

어휘와 표현	장소의 특징	25쪽

□ **학습**

① 제시된 그림 속 장소의 특징을 표현할 수 있는 어휘 찾기

② 어휘 설명하기

③ 어휘 소리 내어 읽어 보기

④ 제시된 표현들을 사용해서 주말에 가 볼 만한 곳을 추천해 보기

읽고 쓰기	26 ~ 27쪽

□ **읽기**

① 그림을 보며 어떤 장소일지 이야기해 보기

② 순천 드라마 촬영장에 대한 글 읽기

③ 1), 2)번 문제를 풀기

④ 1), 2)번에 대한 답 확인하기

◉ **번역해 보기**

- 글의 내용을 학생들이 돌아가면서 한 문장씩 번역해 보게 한다.

- 친구의 번역과 자신의 번역이 같은지 비교해 보게 한다.

□ **쓰기**

① 가 볼 만한 곳을 추천하는 글 쓰기

② 장소의 특징이 잘 표현된 글 발표하기

더하기 활동 | 17쪽

① 학생들에게 제주도에 대해 들어 본 적이 있는지, 제주도에 대해 알고 있는 것에 대해 물어 보기

② 〈더 읽어 보기〉를 읽어 보며 제주도의 유명한 장소들에 대해 알아보기

＊ 교사는 해당 장소의 사진이나 동영상 등을 찾아 학생들에게 보여 줄 수 있다.

③ 학생들의 나라에도 제주도 같은 여행지가 있는지 이야기해 보기

드디어
새 앨범이 나온대

• 예문
한국은 겨울에 눈이 많이 내린대요.
요즘 건강을 생각해서 담배를 끊는 사람이 많대요.
로라 씨가 한국에 있는 회사에 취직했대요.
삼계탕은 담백해서 외국인이 좋아하는 한국 음식 중 하나래요.

듣고 말하기	31쪽

□ **듣기**
  ① 1)번 문제를 보며 듣기의 목표(유진 씨에게 생긴 일) 확인하기
  ② 음원을 들으며 1)번 문제를 풀고 확인하기
  ③ 2)번 문제를 보며 들으면서 파악해야 할 세부 내용 확인하기
  ④ 음원을 들으며 2)번 문제를 풀고 확인하기

□ **말하기**
  소요 시간 및 학생 수를 고려하여 두 가지 방식으로 진행할 수 있다.

방식 1	① 예문 살펴보기 → ② 옆 친구 소식 알아보기 → ③ 들은 이야기를 다른 친구에게 전달하기 → ④ 다시 처음 소식을 전한 친구에게 전해 들은 내용이 맞는지 확인하기 학생1　학생2　학생3　학생4
방식 2	① 예문 살펴보기 → ② 팀을 나누기 → ③ 팀원끼리 순서대로 귓속말로 소식을 전달하기 → ④ 가장 빨리, 정확하게 마지막 학생에게 소식이 전달된 팀이 승리

⊕ **더 알아봐요**
〈대화〉 내용 중 '안나'의 표현 '정말요?'를 다시 확인하며 새로운 소식을 들었을 때의 반응 표현을 같이 살펴 본다.

도입	28~29쪽

□ 그림 속 사람들의 특별한 소식에 대해 이야기해 본다. 그리고 자기 주변 사람들에게 특별한 소식이 있는지 이야기해 보게 한다. (⑩ 입학, 이사, 출산, 결혼 등)

□ 한국 사람들이 에스엔에스(SNS)에 올리는 소식들을 같이 보며 이야기해 보고 학생들은 에스엔에스(SNS)에 어떤 소식을 올리는지 이야기해 보게 한다. (학생들이 최근에 올린 소식, 최근에 본 소식 등)
  - 교사는 한국 에스엔에스(SNS)에 올라오는 실제 소식 자료를 추가로 준비하여 학생들에게 보여 줄 수 있다.

대화	32쪽

□ **대화문 확인**
  ① 대화문을 눈으로 읽으면서 대화의 음원을 듣게 하기
  ② 학생들에게 1)~3)의 질문하기
  ③ 대화문을 소리 내어 읽어 보기

⊕ **더 알아봐요 1**
'참여하다'와 '참가하다'의 의미 차이에 대해 알아본다.

⊕ **더 알아봐요 2**
〈대화〉 내용에서 안나와 수지가 시온의 앨범과 콘서트를 애타게

문법	-는대요 / ㄴ대요 / 대요	30쪽

□ **설명**
  • 의미
  '-는다고/ㄴ다고/다고 해요'의 줄임 표현으로, 다른 사람에게서 들은 말을 전달할 때 쓴다.

  • 형태

동사+ 는 / ㄴ대요	형용사+대요	명사+(이)래요
찾다 → 찾는대요	섭섭하대요	시험이래요

기다린 것과 관련하여 이럴 때 사용하는 소식에 대한 속담 '목 빠지게 기다리다'를 설명한다. 그리고 제시된 또 다른 소식 관련 속담도 함께 살펴본다.

　＊학생들 나라에 비슷한 속담이 있는지 묻고 답할 수 있다.

대화 속 문법	-내요, -(으)래요, -재요	32쪽

☐ **설명**
  • 의미
　'-냐고 하다', '-(으)라고 하다', '-자고 하다'의 줄임 표현으로 다른 사람에게 질문·명령·청유를 듣고 전달할 때 쓴다.
  • 형태

동사 / 형용사+내요	명사+(이)내요
옮기다 → 옮기내요	전통문화 → 전통문화내요

동사+(으)래요	동사+재요
찾다 → 찾으래요	구경하다 → 구경하재요

  • 예문
　부모님이 저에게 졸업하고 어떤 일을 하고 싶내요.
　내일 행사가 있으니까 회사에 차를 가지고 오지 말래요.
　안나가 저에게 방학이 시작하면 같이 한국에 여행을 가재요.

어휘와 표현	소식	33쪽

☐ **학습**
  ① 왼쪽에 있는 그림을 표현하는 어휘 찾기
  ② 어휘 설명하기
  ③ 어휘 소리 내어 읽어 보기
  ④ 제시된 어휘 중에서 최근에 자신이 알게 된 소식이 있는지 이야기해 보기
　　＊학생들이 관심 분야의 기사를 찾아 보고 알게 된 소식을 친구들에게 이야기해 보게 할 수 있다.

⊕ **더 알아봐요**
　'-다고 했어요' → '-댔어요'
　'-(으)라고 했어요' → '-(으)랬어요'
　'-자고 했어요' → '-쟀어요'
　'-냐고 했어요' → '-냈어요'

읽고 쓰기	34~35쪽

☐ **읽기**
  ① 그림을 보며 어떤 소식에 대한 이야기일지 이야기해 보기
  ② 뉴스 기사 읽기
  ③ 1), 2)번 문제를 풀기
  ④ 1), 2)번에 대한 답 확인하기

◉ **번역해 보기**
  - 글의 내용을 학생들이 돌아가면서 한 문장씩 번역해 보게 한다.
  - 친구의 번역과 자신의 번역이 같은지 비교해 보게 한다.

☐ **쓰기**
  ① 기사의 내용을 친구에게 알리는 메시지 쓰기
　　＊다른 기사를 추가로 찾아 친구에게 알리는 메시지를 쓰고 발표하게 할 수 있다.

더하기 활동 | 23쪽
① 관심 있는 분야의 뉴스가 있는지 물어보기
② 〈더 읽어 보기〉를 읽어 보며 뉴스의 내용을 간접 인용 축약형을 사용해 친구들에게 알리기
③ 학생들 나라의 헤드라인 뉴스를 찾아보고 이야기해 보기

폭설로 인해서 많은 피해가 발생하고 있습니다

도입   36~37쪽

☐ 그림 속 사고와 자연재해가 무엇인지 이야기한다. 그리고 자신이 보거나 직접 경험한 사건과 사고에 대해서도 이야기해 보게 한다. 예 교통사고, 화재, 태풍, 지진 등

☐ 한국에서 계절에 따라 자주 발생하는 자연재해 예시를 보며 같이 이야기해 본다.
- 계절에 따라 자주 발생하는 자연재해는 매해 달라질 수 있으므로 해당 시기의 자료를 추가로 준비할 수 있다.
- 교사는 학생들 나라의 계절별 자연재해에 대한 조사 자료를 준비하여 비교하도록 할 수 있다.

문법   (으)로 인해서   38쪽

☐ **설명**
- **의미**
  앞에 나오는 내용이 원인이나 이유가 됨을 나타낸다. '(으)로 인해'라고도 할 수 있다.
- **형태**

명사+(으)로 인해서
태풍 → 태풍으로 인해서
화재 → 화재로 인해서

- **예문**
  대기 오염으로 인해서 숨을 쉬기가 어렵다.
  교통사고로 인해서 차들이 움직이지 못하고 있다.
  어젯밤에 발생한 산불로 인해서 많은 주민들이 대피를 하였습니다.

☐ **특징 및 제약**
① '(으)로 인하여'와 바꾸어 쓸 수 있다.
예 게임 중독으로 인해서 학업을 포기하는 학생들이 늘고 있다. = 게임 중독으로 인하여 학업을 포기하는 학생들이 늘고 있다.
② '(으)로 인해'로 줄여 쓸 수 있다.
예 등산객들의 부주의로 인해서 화재가 자주 발생하고 있다. = 등산객들의 부주의로 인해 화재가 자주 발생하고 있다.
③ 공식적인 말이나 글에서 주로 사용한다.
예 농어촌 지역의 인구 감소로 인해서 빈집이 늘어나고 있습니다.

듣고 말하기   39쪽

☐ **듣기**
① 1)번 문제를 보며 듣기의 목표(공항에서 발생한 일) 확인하기
② 음원을 들으며 1)번 문제를 풀고 확인하기
③ 2)번 문제를 보며 들으면서 파악해야 할 세부 내용 확인하기
④ 음원을 들으며 2)번 문제를 풀고 확인하기

☐ **말하기**
소요 시간 및 학생 수를 고려하여 두 가지 방식으로 진행할 수 있다.

방식 1	① 예문 살펴보기 → ② 메모하며 발표 준비하기 → ③ 준비한 내용을 한 명씩 발표하기
방식 2	① 예문 살펴보기 → ② 메모하며 말할 준비하기 → ③ 짝 또는 그룹 활동으로 준비한 내용 이야기하기, 친구들이 보거나 직접 겪은 사건이나 사고를 듣고 메모하기 → ④ 메모해 놓은 친구의 사건이나 사고를 다른 친구에게 소개하기

대화   40쪽

☐ **대화문 확인**
① 대화문을 눈으로 읽으면서 대화의 음원을 듣게 하기
② 학생들에게 1)~2)의 질문하기
③ 대화문을 소리 내어 읽어 보기

⊕ 더 알아봐요

〈대화〉 내용 중 강원 지역에 폭설이 내렸다는 보도 내용에 주목한다. 이와 관련지어 〈더 알아봐요〉는 지도와 함께 한국의 다양한 지역의 명칭과 위치를 소개하고, 지역적 특성을 설명한다.

* 이 중에서 가 본 지역이 있는지 묻고 답할 수 있다.

대화 속 문법	-(으)면서	40쪽

□ 설명
- 의미

    앞의 내용과 연계되어 뒤의 내용이 일어남을 나타낼 때 사용한다.

- 형태

동사+(으)면서
먹다 → 먹으면서
그치다 → 그치면서

- 예문

    약을 먹으면서 건강을 회복했다.

    눈이 그치면서 날이 따뜻해지기 시작했다.

    한국 음식을 팔면서 매출이 늘었다.

□ 특징 및 제약

① 주로 동사와 결합하여 앞 절이 뒤 설의 원인이 된다.

　예 날씨가 풀리면서 공원을 찾는 사람들이 많아졌다. (○)

　　　날씨가 따뜻하면서 공원을 찾는 사람들이 많아졌다. (×)

② 시제를 나타내는 선어말 어미 '-았/었-', '-겠-'과 결합하지 않고, 현재형으로만 표현한다.

　예 철수는 회사에 취업하면서 저축을 시작했다. (○)

　　　철수는 회사에 취업했으면서 저축을 시작했다. (×)

　　　철수는 회사에 취업하겠으면서 저축을 시작할 것이다. (×)

어휘와 표현	사건과 사고	41쪽

□ 학습

① 제시된 그림을 표현하는 어휘 찾기

② 어휘 설명하기

③ 어휘 소리 내어 읽어 보기

④ 제시된 어휘 중에서 보거나 경험한 사건과 사고가 있는지 이야기해 보기

* 교재에서 사진으로 제시한 여섯 가지 사건과 사고 외에 다른 사건과 사고는 무엇이 있을지 이야기할 수 있다.

　예 지진, 화산 폭발 등

⑤ 배운 어휘를 활용해서 최근에 들은 사건, 사고 소식에 대해 이야기해 보기

읽고 쓰기	42~43쪽

□ 읽기

① 화재 사고에 대한 글 읽기

② 문제를 풀기

③ 답 확인하기

◉ 번역해 보기

- 글의 내용을 학생들이 돌아가면서 한 문장씩 번역해 보게 한다.

- 친구의 번역과 자신의 번역이 같은지 비교해 보게 한다.

□ 쓰기

① 사건, 사고 신문 기사 조사하기

* 교사는 최근에 발생한 사건, 사고를 검색하여 제시해 줄 수 있다.

② 짝과 신문 기사의 내용에 대해 이야기하기

③ 시간, 장소, 피해 내용, 원인을 정리하여 신문 기사처럼 글 쓰기

더하기 활동 | 29쪽

① 학생들에게 사고 예방 표지판을 본 적이 있는지 물어보기

② 〈더 읽어 보기〉를 읽어 보며 한국의 사고 예방 표지판에 대해 알아보기

* 교사는 인터넷에서 사고 예방 표지판을 찾아서 추가로 보여 줄 수 있다.

③ 사고 예방 표지판에 대한 국가별 차이에 대해 이야기해 보기

어떤 앱을 주로 사용하냐면요

- • 예문

  자주 사용하는 앱이 뭐냐면, 동영상 시청 앱이에요.

  한국어를 어떻게 공부했냐면, 드라마를 보면서 한국어를 공부했어요.

  졸업한 후에 무엇을 할 거냐면, 대학원에 가서 공부를 더 하고 싶어요.

□ **특징 및 제약**

① 어떤 화제를 도입하거나 예를 들어 설명할 때 사용하며, 앞에는 주로 '무엇, 누구, 언제, 어떤, 무슨, 왜'와 같은 말이 온다.

   예 두 사람이 어떻게 처음 만났어요?

   어떻게 처음 만났냐면, 도서관에서 공부를 하다가 처음 만났어요.

② 구어에서 주로 사용한다.

   예 어떻게 결제를 하냐면, 물건을 고른 후에 '결제하기'를 누르면 돼요. (○)

   어떻게 결제를 하냐면, 물건을 고른 후에 '결제하기'를 누르면 된다. (?)

도입	44~45쪽

□ 그림 속 인터넷 활용 사례가 무엇인지 이야기한다. 그리고 자신이 인터넷으로 무엇을 자주 하는지에 대해서도 이야기해 보게 한다.

   예 SNS, 인터넷 강의 시청, 신문 읽기 등

□ 한국인들이 가장 많이 사용하는 휴대폰 앱 예시를 보며 같이 이야기해 본다.

   - 한국인들이 가장 많이 사용하는 휴대폰 앱의 순위는 매해 달라질 수 있으므로 해당 시기의 자료를 추가로 준비할 수 있다.

   - 교사는 학생들 나라의 인기 있는 휴대폰 앱 조사 자료를 준비하여 비교하도록 할 수 있다.

문법	-냐면	46쪽

□ **설명**

- • 의미

  '-냐고 하면'의 줄임 표현으로, 질문을 반복하면서 뒤의 내용을 이야기할 때 쓴다.

- • 형태

동사 / 형용사+냐면	명사+(이)냐면
좋아하다 → 좋아하냐면 춥다 → 춥냐면	뭐 → 뭐냐면

듣고 읽기	47쪽

□ **듣기**

① 1)번 문제를 보며 듣기의 목표(두 사람의 대화 주제) 확인하기

② 음원을 들으며 1)번 문제를 풀고 확인하기

③ 2)번 문제를 보며 들으면서 파악해야 할 세부 내용 확인하기

④ 음원을 들으며 2)번 문제를 풀고 확인하기

□ **읽기**

소요 시간 및 학생 수를 고려하여 두 가지 방식으로 진행할 수 있다.

방식 1	① 예문 살펴보기 → ② 메모하며 발표 준비하기 → ③ 준비한 내용을 한 명씩 발표하기
방식 2	① 예문 살펴보기 → ② 메모하며 말할 준비하기 → ③ 짝 또는 그룹 활동으로 찾은 내용 이야기하기, 친구들의 의견을 듣고 홈페이지에서 할 수 있는 일 확인하기→ ④ 메모해 놓은 것을 다른 친구에게 소개하기

대화	48쪽

□ **대화문 확인**

① 대화문을 눈으로 읽으면서 대화의 음원을 듣게 하기

② 학생들에게 1)~2)의 질문하기

③ 대화문을 소리 내어 읽어 보기

⊕ 더 알아봐요

〈대화〉 내용 중 편리한 한국 생활과 관련한 앱을 소개하는 것과 관련지어 한국의 교통 관련 앱에 대해서 제시하고 설명한다.

* 학생들 나라의 교통 관련 앱에 대해서 이야기할 수 있다.

대화 속 문법	-기가 쉽다, 어렵다, 힘들다, 편하다	48쪽

□ 설명

- 의미

앞에 나오는 일을 하거나 그 일이 일어나는 것이 쉽거나 어렵다는 것을 말할 때 사용한다.

- 형태

동사+기가 쉽다, 어렵다, 힘들다, 편하다
찾다 → 찾기가 쉽다
검색하다 → 검색하기가 어렵다

- 예문

이 앱은 외국인도 사용하기가 쉬운 앱이다.

커피를 많이 마시면 잠을 자기가 어렵다.

불고기는 만들기가 어려운 음식이다.

휴대폰으로 사진을 찍으면 친구들에게 보내기가 편하다.

□ 특징 및 제약

① '-기' 뒤에 결합하는 주격 조사 '이/가'를 생략할 수도 있다.

　　예 이 앱을 사용하면 맛집을 찾기가 쉽다.

　　　 = 이 앱을 사용하면 맛집을 찾기 쉽다.

어휘와 표현	인터넷	49쪽

□ 학습

① 그림을 표현하는 어휘 찾기

② 어휘 설명하기

③ 어휘 소리 내어 읽어 보기

④ 제시된 어휘 중에서 자신이 자주 사용하는 인터넷 관련 기능이 있는지 이야기해 보기

* 교재에서 제시한 인터넷 관련 어휘 외에 다른 어휘는 무엇이 있을지 이야기할 수 있다.

　　예 비밀번호, 로그인, 로그아웃, 탈퇴하다 등

⑤ 배운 어휘를 활용해서 휴대폰으로 자주 하는 일에 대해 이야기해 보기

말하고 쓰기	50~51쪽

□ 말하기

① 유용하게 사용하는 앱을 떠올려 보기

② 앱 이름, 목적, 방법, 특징을 설명하기

③ 앱을 자주 사용하는 이유에 대해 생각하기

◉ 통역해 보기

- 글의 내용을 학생들이 돌아가면서 한 문장씩 통역해 보게 한다.

- 친구의 통역과 자신의 통역이 같은지 비교해 보게 한다.

□ 쓰기

① 블로그를 소개하고, 블로그에 어떻게 글을 쓰는지 설명하기

② 유용하게 사용하는 앱 소개하는 글 쓰기

③ 유용한 앱 소개하는 글 발표하기

더하기 활동 | 35쪽

① 학생들에게 한국인이 자주 사용하는 앱에 대해서 알고 있는지 물어보기

② 〈더 읽어 보기〉를 읽어 보며 한국 생활에서 유용한 앱에 대해 알아보기

* 교사는 한국에서 유용한 앱을 찾아서 추가로 보여 줄 수 있다.

③ 국가별로 유용한 앱에 대해 이야기해 보기

4A 06

마늘은 면역력을 높여 줄 뿐만 아니라 암 예방에도 좋습니다

· 형태

동사 / 형용사+ (으)ㄹ 뿐만 아니라	명사+일 뿐만 아니라
맞다 → 맞을 뿐만 아니라 강하다 → 강할 뿐만 아니라	음식일 뿐만 아니라

· 예문

이 집은 햇빛이 잘 들 뿐만 아니라 전망도 좋다.

이 휴대폰은 저렴할 뿐만 아니라 성능도 좋아서 잘 팔린다.

제 남자친구는 잘생겼을 뿐만 아니라 저와 성격도 잘 맞아요.

☐ **특징 및 제약**

① 선행절과 후행절의 주어가 같아야 한다.

② 동일 주제에 대해 일관성 있는 서술을 해야 한다.

   예 제 친구는 노래를 잘할 뿐만 아니라 영화를 좋아해요. (×)

       이 가방은 비쌀 뿐만 아니라 튼튼해요. (×)

③ 선행절과 후행절의 동사가 같을 경우 '명사+뿐만 아니라'의 형태로 사용할 수 있다.

   예 안나는 공부뿐만 아니라 운동도 잘해요.

④ 후행절은 '명사+도'의 형태로 자주 사용한다.

도입	52~53쪽

☐ 그림 속 사람들의 몸 상태에 대해 이야기한다. 그리고 몸에 문제가 있을 때 한국 사람들이 먹는 음식을 소개하고 학생들 나라의 사람들이 먹는 음식에 대해 이야기해 보게 한다. (예 피로-홍삼, 눈-결명자, 당근, 목감기-배, 도라지)

☐ 한국 사람들이 많이 먹는 건강 식품을 같이 보며 효능에 대해 이야기하고 학생들 나라 사람들이 건강을 위해 먹는 식품과 효능에 대해 이야기해 보게 한다.

(인삼-면역력, 항암 및 항산화, 스트레스를 줄여줌/마늘-항암 및 항산화, 콜레스테롤 낮춤, 심장 질환 및 혈관 질환 예방/브로콜리 - 항산화, 골다공증과 암 그리고 심장병 예방)

문법	-(으)ㄹ 뿐만 아니라	54쪽

☐ **설명**

  · 의미

    앞에 나오는 내용에 뒤에 나오는 내용까지 더해진다는 것을 나타낸다.

듣고 말하기	55쪽

☐ **듣기**

① 1)번 문제를 보며 듣기의 목표 (아몬드의 장점) 확인하기

② 음원을 들으며 1)번 문제를 풀고 확인하기

③ 2)번 문제를 보며 들으면서 파악해야 할 세부 내용 확인하기

④ 음원을 들으며 2)번 문제를 풀고 확인하기

☐ **말하기**

① 예문 살펴보기 → ② 메모하며 발표 준비하기 → ③ 준비한 내용을 한 명씩 발표하기

⊕ **더 알아봐요**

5대 영양소에 대해 알아보고 각 영양소가 풍부하게 들어 있는 음식을 그림을 함께 보며 확인한다. 이외에 학생들 나라에서 많이 먹는 음식 중 해당 영양소가 풍부한 것이 있는지 추가로 이야기해 보게 한다.

대화	56쪽

☐ **대화문 확인**

① 대화문을 눈으로 읽으면서 대화의 음원을 듣게 하기

② 학생들에게 1) ~ 2)의 질문하기

③ 대화문을 소리 내어 읽어 보기

제시된 표현으로 이야기할 수 있는 음식들을 함께 이야기해 본다.

- 향이 강하다(향신료 등)

- 향이 진하다(도라지, 커피 등)

- 향이 풍부하다(버섯, 커피, 잘 익은 과일 등)

- 향이 독특하다(익숙하지 않은 향신료 등)

- 향이 상큼하다(사과, 귤과 같은 과일 등)

대화 속 문법	-게 하다	56쪽

□ 설명

· 의미

어떤 일을 하도록 시키거나 어떤 상태가 되도록 만드는 것을 나타낸다.

· 형태

동사 / 형용사+게 하다
기다리다 → 기다리게 하다
귀찮다 → 귀찮게 하다

· 예문

건강을 위해서 항상 몸을 따뜻하게 하세요.

아이들은 밖에서 뛰어 놀게 하는 것이 좋습니다.

미술관 안에서는 휴대폰 소리가 나지 않게 해 주세요.

□ 특징 및 제약

① 과거 시제 '-았/었-'은 '하다'에 붙인다.

　　예 어릴 때 어머니께서 저에게 우유를 많이 마시게 하셨어요.

② '-게 하다' 외에 사동사를 통해 사동의 의미를 나타내기도 한다. 두 방법은 다음과 같이 다소 차이가 있다.

동사+게 하다	'-이-, -히-, -리-, -기-, -우-, -구-, -추-' 사동사
대상에게 어떤 행동을 하도록 시킴. 예 엄마가 아이에게 밥을 먹게 했어요. : 엄마가 아이에게 지시하여 밥을 먹도록 만듦.	주어가 대상에게 어떤 행동을 직접 함. 예 엄마가 아이에게 밥을 먹였어요. : 엄마가 직접 아이의 입에 밥을 넣어줌.

어휘와 표현	식품의 효과	57쪽

□ 학습

① 어휘 설명하기

② 어휘 소리 내어 읽어 보기

③ 제시된 어휘 외에 식품의 효과를 표현할 수 있는 어휘가 있는

지 이야기해 보기

　　(예 감기를 예방하다, 피부에 좋다 등)

④ 제시된 어휘들을 사용해서 그림에 있는 식품의 효과에 대해 이야기해 보기

⊕ 더 알아봐요

'하다, 시키다, 높이다'는 '-아/어 주다'와 자주 결합된다는 것을 설명한다.

　　예 견과류는 기억력을 향상시켜 줘요.

읽고 쓰기	58~59쪽

□ 읽기

① 그림을 보며 무엇에 대한 이야기일지 이야기해 보기

② 기사 읽기

③ 1), 2)번 문제를 풀기

④ 1), 2)번에 대한 답 확인하기

□ 쓰기

① 좋아하는 식품의 효과와 건강하게 먹을 수 있는 방법을 소개하는 글 쓰기

② 식품의 효과와 섭취 방법을 소개한 글 발표하기

⊕ 더 알아봐요

그림을 보면서 요리 방법을 설명하는 표현을 확인한다. 이외에 다른 표현이 있는지 이야기해 본다. (예 찌다, 부치다 등)

더하기 활동 | 41쪽

① 건강한 식습관에 대해 이야기해 보기

② 〈더 읽어 보기〉를 읽어 보며 암 예방을 위한 식습관 알아보기

③ 제시된 열 가지 식습관 중 자기가 하고 있는 것이 있는지 이야기해 보기

버스가 흔들려서
넘어질 뻔했어요

| 도입 | 60~61쪽 |

□ 그림을 보면서 사람들이 어떤 감정을 느끼고 있을지 이야기한다.
  그리고 자기가 했던 비슷한 경험에 대해서도 이야기해 보게 한다.
  예 사람들 앞에서 발표할 때, 완성한 과제에 음료수를 쏟았을 때,
    시험을 망쳤을 때, 친구가 약속 장소에 늦게 왔을 때 등

□ 한국 사람들이 감정과 관련된 소리나 모양을 어떻게 표현하는지
  그림을 보면서 같이 이야기해 본다.
  * 드라마나 영화에서 한국 사람들이 기뻐하거나 슬퍼하거나 당
    황스러워하는 장면에 대한 영상 자료를 추가로 준비할 수 있다.
  * 그림을 보면서 학생들 나라에서는 그런 소리나 모양을 어떻게
    표현하는지 물어보고 한국의 경우와 비교해 본다.

| 문법 | -(으)ㄹ 뻔하다 | 62쪽 |

□ **설명**
  • 의미
    어떤 일이 실제로 일어나지는 않았지만 그럴 가능성이 매우 높
    았음을 나타낸다.
  • 형태

동사+(으)ㄹ 뻔하다
넘어지다 → 넘어질 뻔하다
속다 → 속을 뻔하다

• 예문
  기계가 고장 나서 손을 다칠 뻔했어요.
  바람이 세게 불어서 모자가 날아갈 뻔했어요.
  컵을 들다가 미끄러워서 물을 쏟을 뻔했어요.

□ **특징 및 제약**
  ① 의미 결합
    대개 '하마터면', '자칫하면' 등의 부사나 부정적인 의미를 나타
    내는 동사와 함께 쓰여 그런 일이 일어나지 않아 다행이라는
    의미를 나타내지만, 어떤 일이 일어나지 않아 아쉽다는 의미
    를 나타내기도 한다.
    예 한 문제만 더 맞았으면 시험에 합격할 뻔했는데 아쉽다.
  ② '-아서/어서 죽을 뻔하다'
    과거에 어떤 상태였음을 과장하는 의미로 사용한다. 주로 구
    어에서 사용한다.
    예 연휴 동안 할 일도 없고 만나는 사람도 없어서 심심해 죽을
      뻔했어요.
  ③ '-아서/어서 죽을 뻔하다'와 '-아서/어서 죽겠다'

-아서/어서 죽을 뻔하다	-아서/어서 죽겠다
과거 상태를 설명하기 위해 사용하는 표현임.	현재 상태를 설명하는 데 사용하는 표현임.
예 어제 배가 고파서 죽을 뻔했어요.	예 지금 배가 고파서 죽겠어요.

| 듣고 말하기 | 63쪽 |

□ **듣기**
  ① 1)번 문제를 보며 듣기의 목표(안나 씨가 지갑을 어디에 두고
    왔는지 듣기) 확인하기
  ② 음원을 들으며 1)번 문제를 풀고 확인하기
  ③ 2)번 문제를 보며 들으면서 파악해야 할 세부 내용 확인하기
  ④ 음원을 들으며 2)번 문제를 풀고 확인하기

□ **말하기**
  소요 시간 및 학생 수를 고려하여 두 가지 방식으로 진행할 수 있다.

방식 1	① 예문 살펴보기 → ② 메모하며 발표 준비하기 → ③ 준비한 내용을 한 명씩 발표하기
방식 2	① 예문 살펴보기 → ② 메모하며 말할 준비하기 → ③ 짝 또는 그룹 활동으로 준비한 내용 이야기하기, 친구들의 경험을 듣고 메모하기 → ④ 메모해 놓은 친구의 경험을 다른 친구에게 이야기하기

대화		64쪽

□ **대화문 확인**

　① 대화문을 눈으로 읽으면서 대화의 음원을 듣게 하기

　② 학생들에게 1)~3)의 질문하기

　③ 대화문을 소리 내어 읽어 보기

⊕ **더 알아봐요**

　〈대화〉에서 마리는 자신의 경험담을 이야기하고 있고 주노는 마리의 말에 호응하면서 잘 들어 주고 있다. 이와 관련지어 〈더 알아봐요〉의 호응할 때 쓰는 표현을 제시하고 설명한다.

　＊ 앞서 3과에서 배웠던 새로운 소식을 듣고 반응할 때 사용하는 표현을 다시 확인할 수 있다.

대화 속 문법	아무 명사 (이)나	64쪽

□ **설명**

　• 의미

　여러 가지 중에서 특별히 정해지지 않은 어떤 대상을 나타낼 때 쓴다.

　• 형태

아무+명사+(이)나
시간 → 아무 때나　　사물 → 아무 것이나 / 아무 거나 사람 → 아무나

　• 예문

　편의점은 24시간 영업하니까 아무 때나 가도 돼요.

　그 사람은 정말 아무 일이나 다 잘해요.

　잠시 후에 올 테니까 여기서 아무 책이나 읽고 있어.

□ **특징 및 제약**

　① 구어에서는 금지의 내용을 표현할 때 주로 사용한다.

　　⑩ 이곳은 아무나 들어갈 수 없어요.

　　　아무 데나 차를 세우면 안 돼요.

　② '아무 + 명사 + 도'

　뒤에 부정 표현이나 부정의 뜻을 가진 서술어가 오면 모든 사람, 사물, 장소가 아니라는 것을 나타낸다. 사람에게는 '아무도'와 같이 사용한다.

　　⑩ 배가 너무 아파서 아무 것도 못 먹겠어요.

　　　어색해서 아무 말도 안 하고 그냥 앉아 있다가 왔어요.

어휘와 표현	감정	65쪽

□ **학습**

　① 좌우에 있는 그림을 표현하는 어휘 찾기

　② 어휘 설명하기

　③ 어휘 소리 내어 읽어 보기

　④ 문장 완성해서 말하기

　⑤ 오늘 느낀 감정에 대해 제시된 어휘를 사용하여 이야기해 보기

　＊ 교재에서 제시한 아홉 가지 감정 표현 외에 다른 표현은 무엇이 있을지 이야기할 수 있다.

　　⑩ 기뻐서 눈물이 나다/긴장되다/갑작스럽다/흥분되다/두렵다/걱정스럽다/서운하다/화나다/짜증나다

읽고 쓰기		66~67쪽

□ **읽기**

　① 아르바이트를 해 본 경험이 있는지 이야기하기

　② 주유소 아르바이트 경험에 대한 글 읽기

　③ 1), 2), 3)번 문제를 풀기

　④ 1), 2), 3)번에 대한 답 확인하기

◉ **번역해 보기**

　- 글에서 가장 인상적인 문장을 한 문장씩 골라 보게 한다.

　- 글의 내용을 학생들이 놀아가면서 한 문장씩 번역해 보게 한다.

　- 친구의 번역과 자신의 번역이 같은지 비교해 보게 한다.

□ **쓰기**

　① 자신이 자랑스럽다고 느낀 경험에 대해 생각해 보기

　② 언제, 어떤 경험을 하면서 그런 감정을 느꼈는지 구체적으로 메모해 보기

　③ 읽기 지문을 참고하면서 메모한 내용을 바탕으로 경험담을 글로 쓰기

　＊ 교사는 학생들의 의견을 물어보고 희망하는 학생들의 경우 글로 쓴 내용을 발표하도록 할 수 있다.

더하기 활동 | 47쪽

① 학생들에게 재미있는 실수를 한 경험이 있는지 물어 보기

② 〈더 읽어 보기〉를 읽어 보며 사람들이 어떤 실수를 했는지 확인하기

＊ 교사는 잡지의 사연 코너나 라디오 방송 홈페이지의 사연 게시판에 올라온 글을 더 찾아서 보여 줄 수 있다.

③ 학생들이 알고 있는 재미있는 경험담을 이야기해 보기

가을이 되면 잘 익은 감이 주렁주렁 달렸다

- 형태

	과거 상황	현재 상황	미래 추측
동사+ -는/(으) ㄴ/(으)ㄹ 듯이	싸우다 → 싸운 듯이 씻다 → 씻은 듯이	싸우다 → 싸우는 듯이 씻다 → 씻는 듯이	싸우다 → 싸울 듯이 씻다 → 씻을 듯이
형용사+ -(으)ㄴ / (으)ㄹ 듯이		기쁘다 → 기쁜 듯이 작다 → 작은 듯이	기쁘다 → 기쁠 듯이 작다 → 작을 듯이

- 예문
  새 이불은 구름 위에 누운 듯이 포근하고 따뜻하다.
  그는 영화배우 김민수 씨를 잘 아는 듯이 친근하게 불렀다.
  아이가 금방이라도 울음을 터뜨릴 듯이 눈을 크게 떴다.

☐ **특징 및 제약**
  ① 관용구에 사용되어 비유적 의미로 쓰이는 경우가 많다.
    예 씻은 듯이(아주 깨끗하게), 쥐 죽은 듯이(매우 조용히), 줄
      로 친 듯이(모양이 곧고 바르게), 물 뿌린 듯이(많은 사람이
      갑자기 조용해지거나 숙연해지는 모양을 비유)
  ② 추측의 의미로도 사용하며, '-는/(으)ㄴ/(으)ㄹ 듯하다' 형태
    로 쓰기도 한다.
    예 하늘이 어두워서 금방이라도 비가 쏟아질 듯이 보여요.
      하늘이 어두운 걸 보니 금방이라도 비가 쏟아질 듯해요.
  ③ '-는/(으)ㄴ/(으)ㄹ 듯하다'와 '-는/(으)ㄴ/(으)ㄹ 것 같다'

-는/(으)ㄴ/(으)ㄹ 듯하다	-는/(으)ㄴ/(으)ㄹ 것 같다
추측의 의미를 나타낼 때 큰 의미 차이 없이 둘 다 사용할 수 있음. 근거가 있는 추측에도 쓰이지만 '내 생각에는', '내가 보기에는', '왠지' 등과 함께 쓰여 주관적이거나 막연한 추측을 말할 때 더 많이 쓰임. 예 주말 저녁이라서 차가 많이 막힐 듯해요. / 주말 저녁이라서 차가 많이 막힐 것 같아요.	
상대적으로 문어에서 자주 쓰임. 예 왠지 반가운 손님이 올 듯하다.	상대적으로 구어에서 자주 쓰임. 예 왠지 반가운 손님이 올 것 같아요.

☐ 그림 속 사람들이 무엇을 하고 있는지 이야기한다. 그리고 학생
  들은 어린 시절에 어떤 추억이 있는지에 대해서도 이야기해 보게
  한다.
    예 캠핑, 운동 경기 관람, 해외 여행, 연극 연습, 마술 공연 보기,
      소풍, 가을 운동회 등

<table><tr><td>도입</td><td>68~69쪽</td></tr></table>

☐ 한국에서 어린이들이 많이 하던 놀이에 대해 이야기해 본다. 그
  리고 학생들 나라 사람들은 옛날에 어떤 놀이를 했는지도 이야기
  해 본다.
    * 교사는 한국의 어린이들이 하는 놀이에 대해 다른 자료를 추가
      로 준비할 수 있다.
      예 고무줄놀이, 술래잡기, 말타기, 비석치기, 오징어 게임 등
    * 교사는 학생들 나라 어린이들이 하는 놀이에 대한 자료를 준비
      하여 비교해 보도록 할 수 있다.

<table><tr><td>문법</td><td>-는/(으)ㄴ/(으)ㄹ 듯이</td><td>70쪽</td></tr></table>

☐ **설명**
  - 의미
    뒤에 나오는 상황이 앞의 상황과 매우 비슷하거나 같은 정도임
    을 비유적으로 표현할 때 쓴다.

<table><tr><td>읽고 듣기</td><td>71쪽</td></tr></table>

☐ **읽기**
  ① 어렸을 때 찍은 사진 중에서 기억에 남는 사진에 대해 이야기
    하기

---

② 1), 2), 3)번 문제를 보며 읽기의 목표를 확인하고 사진에 대한 글 읽기

③ 1), 2), 3)번 문제를 풀기

④ 1), 2), 3)번에 대한 답 확인하기

□ **듣기**

① 1)번 문제를 보며 듣기의 목표(두 사람이 지금 무엇을 하고 있는지 듣기) 확인하기

② 음원을 들으며 1)번 문제를 풀고 확인하기

③ 2)번 문제를 보며 들으면서 파악해야 할 세부 내용 확인하기

④ 음원을 들으며 2)번 문제를 풀고 확인하기

대화	72쪽

□ **대화문 확인**

① 글을 눈으로 읽으면서 글의 음원을 듣게 하기

② 학생들에게 1) ~ 3)의 질문하기

③ 글을 소리 내어 읽어 보기

⊕ **더 알아봐요**

〈대화〉에서 김 선생님이 어린 시절에 봤던 고향의 모습들이 '눈에 선하다'고 표현한 것을 환기시킨다. 이와 관련지어 〈더 알아봐요〉에서 '눈'에 대한 관용 표현을 제시하고 설명한다.

* 교사는 입, 귀, 손, 발 등과 관련된 다른 관용 표현을 준비하여 가르칠 수 있다.

* 학생들 나라에 비슷한 관용 표현이 있는지 묻고 답할 수 있다.

대화 속 문법	피동(-이-, -히-, -리-, -기-)	72쪽

□ **설명**

• 의미

다른 주체에 의해 그 행동이 일어났음을 나타낼 때 쓴다.

• 형태

동사	-이-	-히-
	보다 → 보이다 쌓다 → 쌓이다 바꾸다 → 바꾸이다 → 바뀌다	닫다 → 닫히다 잡다 → 잡히다 막다 → 막히다
	-리-	-기-
	듣다 → 들리다 열다 → 열리다 걸다 → 걸리다	안다 → 안기다 끊다 → 끊기다 쫓다 → 쫓기다

• 예문

이 호텔에서는 한강이 한눈에 보여요.

범인이 경찰에게 잡혔어요.

가게 전화번호가 바뀌었어요. 번호를 다시 확인해 보세요.

□ **특징 및 제약**

① 수여 동사(주다, 받다), 수혜 동사(얻다, 돕다), 대칭 동사(만나다, 닮다), 경험 동사(배우다, 느끼다), 어간이 모음 'ㅣ'로 끝나는 동사(던지다, 이기다), '-하다'가 붙는 동사 등에는 피동 접사(-이-, -히-, -리-, -기-)를 붙일 수 없다.

② 능동문의 서술어인 타동사에 '-아지다/어지다'를 붙여 피동문을 만들 수도 있다. 피동사가 없거나 피동 접사(-이-, -히-, -리-, -기-)를 붙일 수 없는 타동사를 피동 표현으로 만들어 준다.

예) 만들다 → 만들어지다, 얻다 → 얻어지다, 느끼다 → 느껴지다

③ '-하다'가 붙은 타동사는 '-하다'를 '-되다'나 '-당하다'로 바꾸어 피동 표현을 만들 수 있다.

어휘와 표현	풍경	73쪽

□ **학습**

① 제시된 그림을 표현하는 어휘 찾기

② 어휘 설명하기

③ 어휘 소리 내어 읽어 보기

④ 문장 완성해서 말하기

⑤ 가장 기억에 남는 풍경에 대해 제시된 어휘를 사용하여 이야기해 보기

* 교재에서 제시한 아홉 가지 풍경 표현 외에 다른 표현은 어떤 것이 있을지 이야기할 수 있다.

예) 나무들이 줄지어 서 있다/꽃잎이 바람에 날리다/나뭇잎이 빨갛게 물들다/빛깔이 곱다/물결이 잔잔하다/거리가 번화하다/숲과 마을이 조화를 이루다/불빛이 화려하게 빛나다/도로가 길게 뻗어 있다

말하고 쓰기	74~75쪽

□ **말하기**

소요 시간 및 학생 수를 고려하여 두 가지 방식으로 진행할 수 있다.

방식 1	① 예문 살펴보기 → ② 〈이렇게 해 봐요〉를 확인하고 내용 메모하며 발표 준비하기 → ③ 준비한 내용을 한 명씩 발표하기

방식 2	① 예문 살펴보기 → ② 〈이렇게 해 봐요〉를 확인하고 내용 메모하며 말할 준비하기 → ③ 짝 또는 그룹 활동으로 준비한 내용 이야기하기, 친구들이 말하는 내용을 듣고 메모하기 → ④ 메모해 놓은 내용을 정리하여 다른 친구에게 이야기하기

◉ **통역해 보기**

- 학생 세 명 정도씩 모둠을 만든다.
- 모둠에서 한 명이 자신이 살았던 곳에 대해 자기 나라 말로 이야기하게 한다.
- 다른 학생이 그 내용을 한국어로 통역해서 말하게 한다.
- 역할을 바꿔서 한 학생이 말하고 다른 학생이 한국어로 통역해 보게 한다.

☐ **쓰기**

① 각자 어렸을 때 살았던 동네의 모습을 떠올려 보기
② 동네의 모습 중에서 어떤 곳의 모습을 글로 표현할 것인지 정하기
③ 〈이렇게 해 봐요〉를 보면서 쓰기 전략을 점검하고, 읽기 지문을 참고하면서 메모한 내용을 바탕으로 자신이 살았던 동네를 묘사하는 글 쓰기
 * 학생들이 배운 표현을 활용하여 동네 풍경을 비유적으로 묘사할 수 있도록 지도한다.

더하기 활동 | 53쪽

① 학생들에게 어렸을 때 친구들과 무엇을 하면서 놀았는지, 놀이 방법이 어떠한지 물어보기
② 〈더 읽어 보기〉를 읽어 보며 한국 사람들이 즐기던 추억의 놀이가 무엇인지, 어떻게 하는 놀이인지 확인하기
 * 교사는 학생들이 놀이 방법을 읽은 후에 직접 놀이를 해 보도록 할 수 있다.
③ 학생들 나라에 비슷한 놀이가 있는지 이야기해 보기

이번 주 방송 정말 볼 만하지 않았어?

| 도입 | 76~77쪽 |

☐ 그림을 보며 방송 장르를 살펴보고 학생들이 즐겨보는 방송을 이야기해 보게 한다.

☐ 한국에서 인기 있는 방송 프로그램에 대해 교사가 미리 조사하여 준비한다. 학습자가 예상한 것을 이야기해 보게 한 후 실제 인기 방송과 같은지 확인해 본다.

☐ 학생들 나라에서 인기 있는 방송에 대해 이야기하며 한국과 비교해 본다.
 * 교사가 학생들 나라에서 인기 있는 방송을 미리 찾아오거나 학생들에게 과제로 제시하여 미리 찾아오게 할 수 있다.

| 문법 | -지 않아요? | 78쪽 |

☐ **설명**
 • 의미
  자신의 의견을 강조하면서 상대방도 이에 동의하는지를 확인할 때 쓴다.
 • 형태

동사 / 형용사+ 지 않아요?	명사+(이)지 않아요?
지루하다 → 지루하지 않아요?	방송 → 방송이지 않아요?

• 예문

여기 커피값이 너무 비싸지 않아요?

요즘 사람들은 스마트폰을 너무 많이 보지 않아요?

그 식당은 일요일에 문을 닫지 않아요?

이 영화 내용이 너무 자극적이지 않아요?

듣고 말하기	79쪽

□ 듣기

① 1)번 문제를 보며 듣기의 목표(두 사람의 대화 주제) 확인하기

② 음원을 들으며 1)번 문제를 풀고 확인하기

③ 2)번 문제를 보며 들으면서 파악해야 할 세부 내용 확인하기

④ 음원을 들으며 2)번 문제를 풀고 확인하기

□ 말하기

① 예문 살펴보기 → ② 메모하며 말할 준비하기 → ③ 준비한 내용을 한 명씩 발표하기. 또는 짝/그룹 활동으로 준비한 내용 이야기하기

＊방송을 잘 안 보는 학생들의 경우 자주 보는 유튜브 채널 등에 대해서 이야기해 보게 할 수 있다.

⊕ 더 알아봐요

지상파 외에 '종합편성채널(종편)' 등에 대해서도 소개할 수 있다.

대화	80쪽

□ 대화문 확인

① 대화문을 눈으로 읽으면서 대화의 음원을 듣게 하기

② 학생들에게 1)~3)의 질문하기

③ 대화문을 소리 내어 읽어 보기

⊕ 더 알아봐요 1

'지식'과 '상식'의 차이에 대해 확인한다.

예 이 드라마는 역사에 대한 배경지식이 없으면 이해가 힘들다.

상식을 벗어난 행동으로 사회적 비난을 받는 공인들이 많다.

⊕ 더 알아봐요 2

'딱딱하다' 외에 물체의 느낌, 사람의 태도나 표정 등을 표현할 수 있는 어휘를 이야기할 수 있다.

예 부드럽다

대화 속 문법	얼마나 -는다고요/ㄴ다고요/다고요	80쪽

□ 설명

• 의미

어떠한 내용을 강조하여 말할 때 쓴다.

• 형태

얼마나 동사+는다고요/ㄴ다고요	형용사+얼마나 다고요	명사+얼마나 (이)라고요
얻다 → 얻는다고요	진하다 → 진하다고요	경험 → 경험이라고요

• 예문

사람들이 저 프로그램을 얼마나 많이 본다고요

산에 단풍이 들면 경치가 얼마나 아름답다고요

제가 한국 노래와 드라마에 대해 얼마나 많이 안다고요

□ 특징 및 제약

'동사'와 만날 때는 '얼마나' 뒤에 '자주, 많이, 잘' 등과 같은 부사와 함께 쓴다.

어휘와 표현	감상과 평가	81쪽

□ 학습

① 어휘 설명하기

② 제시된 그림을 표현할 수 있는 어휘 찾기

③ 제시된 어휘들을 사용해서 친구들에게 소개하고 싶은 방송 프로그램에 대해 이야기하기

④ 어휘 소리 내어 읽어 보기

＊제시된 어휘 외에 '감상과 평가'에 사용할 수 있는 표현들을 이야기해 볼 수 있다. (예 폭력적이다, 반전이 있다 등)

읽고 쓰기	82~83쪽

□ 읽기

① 그림을 보고 어떤 방송일지 이야기해 보기

② 방송 소개와 시청자 댓글을 읽기

③ 1), 2)번 문제를 풀기

④ 1), 2)번에 대한 답 확인하기

◉ 번역해 보기

- 글의 내용을 학생들이 돌아가면서 한 문장씩 번역해 보게 한다.

- 친구의 번역과 자신의 번역이 같은지 비교해 보게 한다.

□ 쓰기
① 좋아하는 방송 프로그램에 대해 이야기해 보기
② 그 방송에 대한 시청 소감 댓글 쓰기
③ 인상적인 소감 발표하기

더하기 활동 | 59쪽

① 학생들이 자주 보는 한국 방송 프로그램이 있는지, 어떤 프로그램인지 이야기해 보기
② 〈더 읽어 보기〉를 읽어 보며 한국 사람들이 좋아하는 예능 프로그램을 알아보기
③ 학생들 나라에서 유명한 방송이 있는지 이야기해 보기
* 해외에서 유명한 한국 방송 프로그램은 바뀔 수 있으므로 교사가 수업 전에 찾아보고 학생들에게 추가로 자료를 제시할 수 있다.

주인공이 책상 위를 보더니 깜짝 놀라서 무엇인가를 찾기 시작하는 거야

도입	84~85쪽

□ 영화 포스터를 보고 어떤 장르의 영화인지 이야기해 보게 한다. 그리고 이외에 어떤 영화 장르가 있는지 이야기해 본다.
  예 액션, 드라마, 공포 등

□ 한국 영화나 드라마에 많이 나오는 내용에 대해 같이 보고 학생들 나라의 드라마나 영화는 어떤지 이야기해 보게 한다.

문법	-더니	86쪽

□ **설명**
  • 의미
  과거에 관찰한 사실과 그 뒤에 이어진 행동 또는 상황을 연결하여 말할 때 사용한다.
  • 형태

동사 / 형용사+더니	명사+(이)더니
놓다 → 놓더니	느낌 → 느낌이더니

  • 예문
  아까 보니까 수진 씨 안색이 안 좋더니 집에 일찍 갔네요.
  어제는 머리가 좀 아프더니 잠을 푹 자고 나니까 괜찮네요.
  민호가 사무실에 조용히 들어오더니 안나 자리에 커피를 놓고 나갔어요.

□ 특징 및 제약
　①1인칭의 동작은 사용할 수 없다.
　　예 수진이가 전화를 받더니 급하게 나갔어요. (○)
　　　제가 전화를 받더니 급하게 나갔어요. (×)
　②심리나 기분, 감정 또는 감각을 나타내는 형용사는 1인칭 주어
　　와 사용한다.
　　예 어제 목이 좀 아프더니 결국 감기에 걸렸어요. (○)
　　　유진이 어제 목이 좀 아프더니 결국 감기에 걸렸어요. (×)
　③후행절에 미래 시제를 사용할 수 없다.
　　예 민호가 저를 보더니 웃으면서 인사를 할 거예요. (×)
　④선행절과 후행절의 주어나 주제가 같아야 한다.
　　예 안나가 손을 씻더니 요리를 시작했다. (○)
　　　안나가 손을 씻더니 유진이 요리를 시작했다. (×)
　　　아침부터 날이 흐리더니 비가 오네요. (○)
　　　아침부터 날이 흐리더니 배가 고프네요. (×)

□ 유의 사항
　①다음과 같은 상황에서 사용할 수 있다.
　　- 과거에 관찰한 사실에 이어 다른 행동이나 상황이 일어날 때
　　　예 동생은 집에 들어오더니 아무 말 없이 방으로 들어갔다.
　　- 과거에 경험한 것이 원인이 되어 어떠한 결과가 생겼음을
　　　나타낼 때
　　　예 유진 씨가 한국어 공부를 열심히 하더니 결국 한국 회사
　　　　에 취직했어요.
　　- 과거에 경험으로 알게 된 사실과 새로 알게 된 사실에 차이
　　　가 있을 때
　　　예 아침에는 배가 좀 아프더니 지금은 괜찮아졌어요.
　②'-았더니/었더니'는 동사에 붙어 화자가 과거에 어떤 일을
　　한 후 발견한 것이나 나타난 결과를 나타낼 때 사용한다.
　　예 집에 도착했더니 문 앞에 택배가 와 있더라고요.
　　　슬픈 영화를 보면서 펑펑 울었더니 눈이 부었어요.

| 듣고 말하기 | 87쪽 |

□ 듣기
　①1)번 문제를 보며 듣기의 목표(안나 씨가 이야기하는 드라마
　　의 내용 듣기) 확인하기
　②음원을 들으며 1)번 문제를 풀고 확인하기
　③2)번 문제를 보며 들으면서 파악해야 할 세부 내용 확인하기
　④음원을 들으며 2)번 문제를 풀고 확인하기

□ 말하기
　①예문 살펴보기 → ②메모하며 말할 준비하기 → ③준비한 내
　　용을 한 명씩 발표하기. 또는 짝 활동으로 준비한 내용 이야기하기

| 대화 | 88쪽 |

□ 대화문 확인
　①대화문을 눈으로 읽으면서 대화의 음원을 듣게 하기
　②학생들에게 1)~3)의 질문하기
　③대화문을 소리 내어 읽어 보기

⊕ 더 알아봐요
　'죄를 짓다, 잘못을 저지르다'의 의미를 갖고 있는 '범(犯)'이 접두
　사, 접미사로 쓰인 어휘들에 대해 알아본다.
　- 접두사(법을 지키지 않고 잘못을 저지르다)
　　: 범인, 범죄, 범행, 범법 등
　- 접미사(잘못을 저지른 사람)
　　: 진범, 살인범, 정치범, 지능범, 납치범 등

| 대화 속 문법 | -는/(으)ㄴ 것이다 | 88쪽 |

□ 설명
　• 의미
　　앞에 나오는 내용에 대해서 주의를 끌면서 효과적으로 표현하
　　고자 할 때 쓴다.
　• 형태

동사+ 는 것이다	형용사+(으)ㄴ 것이다	명사+ 인 것이다
나다 → 나는 것이다	뛰어나다 → 뛰어난 것이다	범인 → 범인인 것이다

　• 예문
　　방학도 아닌데 친구가 갑자기 여행을 가자고 하는 거예요.
　　집에 도착해서 문을 열려고 하는데 아무리 찾아도 열쇠가 없는
　　거야.
　　주말에 세수도 안 하고 누워 있는데 집에 친구가 찾아온 거예요.
　　데이트를 하는데 잘 안 신던 구두를 신어서 그런지 발이 너무
　　아픈 거야.

| 어휘와 표현 | 줄거리 | 89쪽 |

□ 학습
　①어휘 설명하기
　②어휘 소리 내어 읽어 보기
　③제시된 영화 포스터를 보고 영화 내용을 설명하기, 적절한 어
　　휘를 찾아보기
　④제시된 어휘와 비슷한 표현 또는 제시된 것 외에 영화나 드라
　　마 줄거리를 말할 때 사용할 수 있는 표현 이야기해 보기

---

* '범인을 쫓다/범인을 쫓아다니다', '첫눈에 반하다/첫눈에 사
  랑에 빠지다', '도망치다/도망 다니다', '비극적으로 끝나다/비
  극으로 끝나다' 등
⑤ 최근 본 영화나 드라마에서 인상적이었던 장면을 '-는/(으)ㄴ
  것이다'를 사용해서 이야기하기

읽고 쓰기	90~91쪽

□ **읽기**
  ① 만화의 내용 읽기
  ② 무슨 내용의 만화인지 같이 이야기하기

□ **쓰기**
  ① 〈읽기〉에서 본 만화 내용을 작가가 되어 줄거리 쓰기
  ② 자신이 만든 이야기를 발표하기
  ③ 가장 재미있는 이야기를 뽑아 보기

◉ **번역해 보기**
  - 글의 내용을 학생들이 돌아가면서 한 문장씩 번역해 보게 한다.
  - 친구의 번역과 자신의 번역이 같은지 비교해 보게 한다.

더하기 활동 | 65쪽
① 재미있게 본 한국 영화가 있는지 이야기하기
② 〈더 읽어 보기〉를 읽어 보며 영화 '기생충'에 대해 알아보기
* 교사는 인터넷에서 영화 〈기생충〉의 예고편을 찾아 학생들
  에게 보여 줄 수 있다.
* 교사는 〈기생충〉 대신 다른 한국 영화를 찾아 간단하게 소개
  할 수 있다.
③ 학생들 나라 영화 중에 소개하고 싶은 좋은 영화가 있는지
  이야기해 보기

저는 춘천에 대해
소개하겠습니다

도입	92~93쪽

□ 그림 속 장소가 어떤 곳인지 이야기한다. 그리고 자신이 살고 있
  는 지역이 어떤 곳인지에 대해서도 이야기해 보게 한다.
  ⓓ 대도시, 중소도시, 소도시, 강이 있는 마을, 산이 있는 마을, 공
    장이 있는 마을 등

□ 지도에서 한국의 대표적인 도시 위치를 확인하고 각 도시의 특징
  에 대해 이야기해 본다. 그리고 학생들 나라의 도시에 대해서도
  같이 이야기해 본다.
  * 교사는 학생들 나라의 도시가 표시된 지도 자료를 추가로 준비
    할 수 있다.
  * 한국의 도시와 학생들 나라의 도시를 비교하도록 할 수 있다.

문법	(으)로서	94쪽

□ **설명**
  • 의미
    어떤 대상이 앞에 나오는 지위나 신분, 자격, 속성을 가지고 있
    음을 나타낸다.
  • 형태

명사+(으)로서	
도시 → 도시로서	학생 → 학생으로서

- 예문

    사람으로서 어떻게 그런 일을 할 수 있니?

    나는 선생님으로서 학생들에게 모범이 되기 위해 항상 노력한다.

    나는 형으로서 동생에게 도움이 될 만한 조언을 해 주었다.

□ **특징 및 제약**

① '(으)로서'는 '(으)로'로 바꿔 쓸 수 있다.

    예 이건 친구로 하는 말이야.

② '(으)로서는', '(으)로서도', '(으)로서만'처럼 다른 조사를 덧붙여 새로운 의미를 부가할 수 있다.

    예 그는 영화배우로서만 유명한 것이 아니다.

③ '(으)로서'와 '(으)로써'

(으)로서	(으)로써
지위나 신분, 자격이 있음을 나타내거나 그 입장, 형편에 처함을 나타낼 때 사용함. **예** 이건 친구로서 하는 말이야.	어떤 일의 수단이나 도구, 방법 또는 재료임을 나타낼 때 사용함. **예** 쌀로써 떡을 만든다. 갈등은 대화로써 풀어야 한다.

듣고 말하기　　　　　95쪽

□ **듣기**

① 1)번 문제를 보며 듣기의 목표(리포터가 어떤 곳을 소개하고 있는지 듣기) 확인하기

② 음원을 들으며 1)번 문제를 풀고 확인하기

③ 2)번 문제를 보며 들으면서 파악해야 할 세부 내용 확인하기

④ 음원을 들으며 2)번 문제를 풀고 확인하기

□ **말하기**

소요 시간 및 학생 수를 고려하여 두 가지 방식으로 진행할 수 있다.

  * 교사는 학생이 방송 진행자처럼 고향을 소개하도록 하고 그 모습을 영상으로 찍어서 학생들과 함께 볼 수 있다.

방식 1	① 예문 살펴보기 → ②〈이렇게 해 봐요〉를 보며 말할 내용 생각하고 메모하며 발표 준비하기 → ③ 준비한 내용을 한 명씩 발표하기
방식 2	① 예문 살펴보기 → ②〈이렇게 해 봐요〉를 보며 말할 내용 생각하고 메모하며 말할 준비하기 → ③ 짝 또는 그룹 활동으로 준비한 내용 이야기하기, 친구들이 소개하는 내용을 듣고 메모하기 → ④ 메모해 놓은 내용을 정리하여 다른 친구에게 이야기하기

대화　　　　　96쪽

□ **대화문 확인**

① 발표문을 눈으로 읽으면서 발표의 음원을 듣게 하기

② 학생들에게 1) ~ 3)의 질문하기

③ 발표문을 소리 내어 읽어 보기

⊕ **더 알아봐요**

〈대화〉에서 안나가 춘천의 대표적인 음식인 닭갈비를 소개하고 있다. 이와 관련지어〈더 알아봐요〉를 보면서 닭갈비가 어떤 음식인지 설명한다. 그리고 한국 지도를 보면서 지역별 특산물에 어떤 것이 있는지 살펴본다.

  * 학생들 나라에 비슷한 특산물이 있는지, 다른 특산물은 무엇이 있는지 묻고 답할 수 있다.

대화 속 문법　　　에 대해서　　　96쪽

□ **설명**

- 의미

    앞에 나오는 것이 말이나 생각의 대상임을 나타낸다. '에 대해'라고도 할 수 있다.

- 형태

명사+에 대해서
한국 → 한국에 대해서 문제 → 문제에 대해서

- 예문

    한글에 대해서 얼마나 알고 있습니까?

    제가 발명한 물건에 대해 설명해 드리겠습니다.

    어머니는 요즘 건강에 대해 관심이 많으세요.

□ **특징 및 제약**

'에 대해서'와 '에 관해서'

에 대해서, 에 대한	에 관해서, 에 관한
앞에 나오는 것이 뒤에 나오는 내용의 대상임을 나타낼 때 둘 다 사용할 수 있음. **예** 이것은 실업 문제에 대해서 고민하고 쓴 글이다. / 이것은 실업 문제에 관해서 고민하고 쓴 글이다.	
큰 의미 차이는 없으나 '에 관해서'에 비해 사용 범위가 조금 넓음. **예** 나에 대한 부모님의 기대가 크다. (○)	'에 대해서'의 대상이 되는 것들 가운데 사고 과정과 관련되는 대상들에 주로 사용함. **예** 나에 관한 부모님의 기대가 크다. (?)

4A 12

한국에 대해 발표하고자 합니다

□ **학습**
① 제시된 그림을 표현하는 어휘 찾기
② 어휘 설명하기
③ 어휘 소리 내어 읽어 보기
④ 문장 완성해서 말하기
⑤ 어떤 지역에서 살고 싶은지 제시된 어휘를 사용하여 이야기해 보기
＊ 교재에서 제시한 지역의 특징 외에 다른 표현은 어떤 것이 있을지 이야기할 수 있다.
　　예 강과 호수로 둘러 싸이다/도청 소재지이다/수도권이다/평야가 발달하다/사람들의 인심이 좋다/역사와 문화가 살아 숨쉬다/행정 기관이 모여 있다 등

| 읽고 쓰기 | 98~99쪽 |

□ **읽기**
① 알고 있는 세계의 도시들에 대해 이야기하기
② 세계의 도시를 소개하는 글 읽기
③ 1), 2), 3)번 문제를 풀기
④ 1), 2), 3)번에 대한 답 확인하기
◉ **번역해 보기**
－ 글의 내용을 학생들이 돌아가면서 한 문장씩 번역해 보게 한다.
－ 친구의 번역과 자신의 번역이 같은지 비교해 보게 한다.

□ **쓰기**
① 각자 소개하고 싶은 도시 정하기
② 〈이렇게 해 봐요〉를 보면서 쓰기 전략을 점검하고, 소개하고 싶은 도시의 특징 메모하기
＊ 교사는 학생들이 미리 인터넷을 검색하여 도시의 정보를 미리 찾아보도록 과제를 부여할 수도 있고, 수업 시간에 휴대폰으로 검색해서 찾아보게 할 수도 있다.
③ 읽기 지문을 참고하면서 메모한 내용을 바탕으로 자기 나라에 있는 도시나 지역을 소개하는 글 쓰기

더하기 활동 | 71쪽

① 학생들에게 한국의 도시 중에서 알고 있는 곳 물어 보기
② 〈더 읽어 보기〉의 한국의 도시에 대한 노래들을 들으면서 가사 내용 확인하기
＊ 교사는 인터넷에서 노래를 찾아서 들려줄 수 있다. 한국의 도시에 대한 내용을 담고 있으면서 학생들에게 익숙한 최신 노래를 더 준비하여 소개할 수도 있다.
③ 한국의 도시에 대한 다른 노래를 알고 있는지, 학생들 나라에서도 도시에 대한 노래가 있는지 등에 대해 이야기해 보기

| 도입 | 100~101쪽 |

□ 그림 속 지도를 보면서 가고 싶은 나라와 그 나라에 가고 싶은 이유를 이야기해 보게 한다.
□ 한국을 소개하는 글을 보며 국가를 소개할 때 필요한 정보가 무엇인지 같이 이야기해 본다.
　＊ 교사는 학생들 나라에 대한 주요 정보를 준비하여 비교하도록 할 수 있다.

| 문법 | -(으)며 | 102쪽 |

□ **설명**
• 의미
두 가지 이상의 동작이나 상태, 사실을 나열할 때 사용한다.
• 형태

동사 / 형용사+(으)며	명사+(이)며
좋다 → 좋으며 움직이다 → 움직이며	수도 → 수도이며

• 예문
내 친구는 성격이 좋으며 공부를 잘해서 친구가 많다.
부산은 공기가 깨끗하며 바다가 아름답다.
서울은 한국의 수도이며 정치와 경제의 중심지이다.

□ **특징 및 제약**

　① '-고'와 의미는 유사하지만 두 가지 이상의 상태나 행동을 겸
　　하고 있을 때는 '-(으)며'를 사용해야 한다 .

　　　예 (음악 감상과 공부를 동시에 할 때)

　　　　나는 음악을 들으며 숙제를 한다. (○)

　　　　나는 음악을 듣고 숙제를 한다. (×)

　② '-고'와 의미는 유사하지만 과거 사실을 나타낼 때에 '-(으)며'
　　는 반드시 선어말 어미 '-았/었-'을 사용해야 한다 .

　　　예 나는 숙제를 하며 친구도 숙제를 했다. (×)

　　　　나는 숙제를 했으며 친구도 숙제를 했다. (○)

　　　　나는 숙제를 하고 친구도 숙제를 했다. (○)

　③ 격식적인 말하기나 쓰기에서 주로 사용한다.

　　　예 철수 씨는 친절하며 재미있다. (○)

　　　　철수 씨는 친절하며 재미있습니다. (○)

　　　　철수 씨는 친절하며 재미있어요. (?)

듣고 말하기 ｜ 103쪽

□ **듣기**

　① 1)번 문제를 보며 듣기의 목표(대화 상황) 파악하기

　② 음원을 들으며 1)번 문제를 풀고 확인하기

　③ 2)번 문제를 보며 들으면서 파악해야 할 세부 내용 확인하기

　④ 음원을 들으며 2)번 문제를 풀고 확인하기

□ **말하기**

　국가를 소개하는 게임을 통해 국가에 대한 정보를 얻고, 말하기
　연습을 할 수 있다.

방식	① 주사위 던지기 → ② 나온 숫자 만큼 이동 → ③ 해당 국가의 위치와 수도 말하기(중국은 아시아에 있으며, 수도는 베이징이에요.) → ④ 제대로 말하면 통과, 그렇지 못하면 다시 출발점으로 돌아감. ＊ 중간에 실패를 하더라도 다시 처음으로 돌아가야 하며, 한 바퀴를 돌아서 처음으로 온 팀이 이기는 게임이다.

대화 ｜ 104쪽

□ **대화문 확인**

　① 대화문을 눈으로 읽으면서 대화의 음원을 듣게 하기

　② 학생들에게 1) ~ 2)의 질문하기

　③ 대화문을 소리 내어 읽어 보기

⊕ **더 알아봐요**

　〈대화〉 내용이 한국을 소개하는 발표인 것과 관련지어 발표를 시

작하는 표현에 대해서 제시하고 설명한다.

　＊ 발표 경험을 이야기하면서 자주 사용하는 표현 등에 대해서 이
　　야기할 수 있다.

대화 속 문법 ｜ -고자 하다 ｜ 104쪽

□ **설명**

　• 의미

　말하는 사람이 어떤 행동을 하려는 의도나 희망을 가지고 있음
　을 나타낸다.

　• 형태

동사+고자
소개하다 → 소개하고자 찾다 → 찾고자

　• 예문

　지금부터 한국에 대한 발표를 시작하고자 합니다.

　저는 다른 사람을 도와주는 직업을 갖고자 합니다.

　환경 오염을 줄일 수 있는 제품을 개발하고자 합니다.

□ **특징 및 제약**

　① 과거 '-았/었-', 미래·추측의 '-겠-'과 결합할 수 없다.

　　　예 오늘은 한국의 전통 문화에 대해서 소개하고자 합니다. (○)

　　　　오늘은 한국의 전통 문화에 대해서 소개했고자 합니다. (×)

　　　　오늘은 한국의 전통 문화에 대해서 소개하겠고자 합니다. (×)

　② '동사 + -고자'의 구성으로 사용해서 '목적'의 의미로 사용한다.

　　　예 시험에 합격하고자 열심히 공부했다.

　　　　우리 식당은 쓰레기를 줄이고자 일회용컵을 사용하지 않
　　　　습니다.

　③ 비슷한 의미를 가진 '-(으)려고'는 비격식적인 상황에서도 사
　　용이 가능하지만, '-고자 하다'는 격식적인 상황에서만 주로
　　사용한다.

　　　예 지금부터 회의를 시작하고자 해요. (?)

　　　　지금부터 회의를 시작하려고 해요. (○)

어휘와 표현 ｜ 국가 소개 ｜ 105쪽

□ **학습**

　① 제시된 그림을 표현하는 어휘 찾기

　② 어휘 설명하기

　③ 어휘 소리 내어 읽어 보기

　④ 제시된 어휘 중에서 국가를 소개할 때 반드시 필요한 어휘가
　　무엇인지 이야기해 보기

　＊ 교재에서 제시한 국가 소개 관련 어휘 외에 다른 어휘는 무엇

이 있을지 이야기할 수 있다.

　　🗨 유명한 인물, 주요 관광지 등

⑤ 배운 어휘를 활용해서 학생들 나라의 이웃 나라에 대해 이야기해 보기

| 읽고 쓰기 | 106~107쪽 |

☐ **읽기**

① '독일'이라는 나라에 대해 이야기하기(방문 경험, 유명한 인물, 도시 등)

② 독일에 대한 국가 소개 글 읽기

③ 1), 2)번 문제를 풀기

④ 1), 2)번에 대한 답 확인하기

◉ **번역해 보기**

- 글의 내용을 학생들이 돌아가면서 한 문장씩 번역해 보게 한다.

- 친구의 번역과 자신의 번역이 같은지 비교해 보게 한다.

☐ **쓰기**

① 관심 있는 나라 소개하는 글 쓰기

② 블로그를 소개하여 블로그에 어떻게 글을 쓰는지 소개하기

③ 관심 있는 나라 소개하는 글 발표하기

더하기 활동 | 77쪽

① 학생들에게 특별한 나라에 대해서 알고 있는지 물어보기

②〈더 읽어 보기〉를 읽어 보며 전 세계의 특별한 나라에 대해 알아보기

＊ 교사는 인터넷에서 해당 국가의 특별한 점을 확인해서 추가로 보여 줄 수 있다.

③ 학생들이 알고 있는 특별한 국가에 대해 추가적으로 이야기해 보기

뭐든지
적극적인 데다가
유머 감각도 있어요

| 도입 | 12~13쪽 |

☐ 문항을 읽으면서 자신의 이야기라고 생각하는 것에 표시하고 발표하게 한다.

＊ 표에는 없는 내용이지만 자신이 어떤 사람인지 학생 스스로 더 표현할 수 있게 하거나, 우리 반 친구들이 생각하는 나에 대해서 들어볼 수도 있다.

☐ 한국에서 사진의 동물들이 상징하는 성격에 대해 생각해 보고, 학생들 나라에서 상징하는 성격과 비교해 보도록 한다.

＊ 사진에 없는 동물들이 상징하는 이미지에 대해서도 이야기해 볼 수 있다.

　　🗨 여우, 돼지, 뱀, 거북 등

＊ 동물들이 상징하는 성격을 긍정적 이미지와 부정적 이미지로 나누어 이야기해 볼 수 있다.

| 문법 | -는/(으)ㄴ 데다가 | 14쪽 |

☐ **설명**

• 의미

앞의 내용에 뒤의 내용이 덧붙여짐을 나타낸다.

· 형태

동사	형용사
+는/(으)ㄴ 데다가	+(으)ㄴ 데다가
이루다 → 이룬 데다가	정직하다 → 정직한 데다가

· 예문

요즘 졸업 작품을 준비하는 데다가 아르바이트까지 해서 힘들어요.

소질이 있는 데다가 노력을 하니 잘할 수밖에 없지요.

이번 주말에는 일이 많은 데다가 일손도 부족할 것 같아요.

□ **특징 및 제약**

① 선행절과 후행절의 주어는 같아야 하며, 내용에도 일관성이 있어야 한다.

② 목적어에 조사 '도', '조차', '까지' 등이 자주 함께 쓰인다.

③ 후행절에 명령문, 청유문 쓰임에 제약이 있다.

④ '-는/(으)ㄴ 데다가'와 '-(으)ㄹ 뿐만 아니라'

-는/(으)ㄴ 데다가	-(으)ㄹ 뿐만 아니라
앞의 내용에 관련된 내용을 더하여 나타낼 때 쓰일 수 있음. 예 그 배우는 연기를 잘하는 데다가 잘생겼어요. / 그 배우는 연기를 잘할 뿐만 아니라 잘생겼어요.	
선행 내용과 후행 내용 간의 중요도 차이가 없음.	선행 내용이 후행하는 내용보다 중요하고 당연시 여겨지는 내용임.

듣고 말하기   15쪽

□ **듣기**

① 1)번 문제를 보며 듣기의 목표(두 사람이 하고 있는 일 듣기) 확인하기

② 음원을 들으며 1)번 문제를 풀고 확인하기

③ 2)번 문제를 보며 들으면서 파악해야 할 세부 내용 확인하기

④ 음원을 들으며 2)번 문제를 풀고 확인하기

□ **말하기**

소요 시간 및 학생 수를 고려하여 두 가지 방식으로 진행할 수 있다.

방식 1	① 예문 살펴보기 → ② 메모하며 발표 준비하기 → ③ 준비한 내용을 한 명씩 발표하기
방식 2	1) 우리 반 친구를 떠올리며 방식 1의 순서로 발표를 준비하고 발표하기 2) 발표자가 우리 반 친구의 성격을 이야기하면 다른 학생들은 누구를 말하는지 맞춰 보기

대화   16쪽

□ **대화문 확인**

① 대화문을 눈으로 읽으면서 대화의 음원을 듣게 하기

② 학생들에게 1)~3)의 질문하기

③ 대화문을 소리 내어 읽어 보기

⊕ **더 알아봐요**

① 〈대화〉 내용에서 민호가 동생 성격을 이야기하면서 동생을 '걔'라고 지칭한 것에 주목한다.

② 형제, 자매, 우리 반 친구들 등 주변 사람들과의 나이 차이가 어떻게 되는지 이야기해 본다.

대화 속 문법   -든지   16쪽

□ **설명**

· 의미

어떤 것을 선택해도 차이가 없다는 것을 나타낼 때 쓴다. '-든'이라고도 할 수 있다.

· 형태

동사 / 형용사 + 든지	명사 + (이)든지
헤어지다 → 헤어지든지 불편하다 → 불편하든지	주말 → 주말이든지

· 예문

졸업 후에 유학을 가든지 취직을 하든지 해야 할 것 같아요.

반려동물과의 산책은 제가 바쁘든지 한가하든지 매일 꼭 한 번은 하는 일이에요.

우리 어디든지 좀 들어가서 이야기할까요?

□ **특징 및 제약**

① '-든지'는 '-든'으로 바꾸어 쓸 수 있고, 동사, 형용사와 함께 쓰이는 '-든지'는 '-거나'로도 바꾸어 쓸 수 있다.

② 이미 끝났거나 일어났을 거라고 생각되는 일에는 '-았/었-'을 함께 쓴다.

　예 기분이 안 좋은 것을 보니 여자 친구와 싸웠든지 헤어진 것 같다.

③ 미래를 나타내는 '-겠-'과 함께 쓰이지 않는다.

　예 내일 책을 보겠든지 음악을 들을 거예요. (×)

□ **학습**

① 제시된 그림을 표현하는 어휘 찾기

② 어휘 설명하기

③ 어휘 소리 내어 읽어 보기

④ 제시된 어휘 사용하여 자신의 성격 표현해 보기

＊교재에서 제시한 것 외에 학생들이 알고 있는 성격 어휘와 표현에 대해서 말해 보도록 하고, 이 때, 2과의 어휘와 겹치지 않도록 한다. 교사가 보충 설명할 수 있다.

📄 책임감이 강하다, 참을성이 있다/없다, 자존심이 세다, 눈물이 많다 등

4B 02

처음 만났을 때는 얌전한 성격인 줄 알았거든

| 읽고 쓰기 | 18~19쪽 |

□ **읽기**

① 읽기 활동 전 '기본 정보, 등장인물, 회차' 등의 어휘 설명하기

② 드라마에 대한 정보 글 읽기

③ 1), 2)번 문제를 풀고 답 확인하기

◉ **번역해 보기**

- 한 사람이 등장인물 한 명씩 맡아 번역해 보게 한다.

- 친구들과 함께 바꿔 읽고 맞는지 확인해 본다.

□ **쓰기**

① 우리 반 친구들 중 소개하고 싶은 사람 정하기

＊소개 글 대상이 특정 학생에게만 집중되지 않도록 교사가 미리 제비뽑기를 준비할 수 있다.

② 글쓰기를 완성하고 발표하기

더하기 활동 | 11쪽

① 그림 속 동그라미를 보며 떠오른 생각 이야기하기

② 〈더 읽어 보기〉 안에서 자신이 생각한 것에 관한 설명이 있는지 찾아 읽어 보기

＊이외 성격을 보여 주는 다양한 심리 테스트 자료(색깔, 그림 등)를 사용할 수 있다.

| 도입 | 20~21쪽 |

□ 그림 속 사람들의 표정을 보면서 첫인상이 어떠한지 이야기해 보게 한다.

□ 한국인들 중에 혈액형과 성격이 관계 있다고 생각하는 사람이 많다는 것을 설명한다. 이후 학생들의 나라에서는 사람의 성격과 관계가 있다고 생각하는 것이 무엇이 있는지 이야기해 보게 한다.

＊교사는 별자리, MBTI 등 성격과 관련이 있는 소재를 준비하여 활용할 수 있다.

| 문법 | -는/(으)ㄴ/(으)ㄹ 줄 알다 | 22쪽 |

□ **설명**

• 의미

앞 내용을 예상 또는 기대했지만 실제로 그렇지 않을 때 사용한다.

• 형태

동사+는 줄 알다	형용사+ (으)ㄴ 줄 알다	명사+인 줄 알다
오다 → 오는 줄 알다	조용하다 → 조용한 줄 알다	선생님 → 선생님인 줄 알다

- 예문

  비가 올 줄 알고 우산을 가지고 왔는데 비가 안 오네요.

  처음에는 성격이 차가운 줄 알았어요.

  한국어를 잘해서 선생님인 줄 알았는데 학생이에요?

□ **특징 및 제약**

① 'ㄹ'이 있는 동사나 형용사는 'ㄹ'이 탈락한다 .

  예 수업 시간에 항상 지각을 해서 기숙사에 사는 줄 몰랐다.

  맛집이지만 기다리는 줄이 이렇게 긴 줄 몰랐다.

② '있다', '없다'가 붙어서 만들어진 형용사는 '-는 줄'을 사용한다.

  예 다시 봐도 이 영화가 재미있는 줄 모르겠다.

  사진만 보고 삼계탕이 맛없는 줄 알았다.

③ 조사 '로', '을', '은', '만' 등이 붙을 수 있다.

  예 한국 음식이 이렇게 매울 줄은 몰랐다.

  저는 선생님이 무서울 줄로 알고, 질문을 하지 못했어요.

듣고 말하기	23쪽

□ **듣기**

① 1)번 문제를 보며 듣기의 목표(소개팅에서 만난 사람의 첫인상 듣기) 확인하기

② 음원을 들으며 1)번 문제를 풀고 확인하기

③ 2)번 문제를 보며 들으면서 파악해야 할 세부 내용 확인하기

④ 음원을 들으며 2)번 문제를 풀고 확인하기

□ **말하기**

소요 시간 및 학생 수를 고려하여 두 가지 방식으로 진행할 수 있다.

방식 1	① 예문 살펴보기 → ② 메모하며 발표 준비하기 → ③ 준비한 내용을 한 명씩 발표하기
방식 2	① 예문 살펴보기 → ② 메모하며 말할 준비하기 → ③ 짝 또는 그룹 활동을 통해 첫인상 이야기하기 → ④ 메모해 놓은 친구의 첫인상을 다른 친구에게 소개하기

대화	24쪽

□ **대화문 확인**

① 대화문을 눈으로 읽으면서 대화의 음원을 듣게 하기

② 학생들에게 1) ~ 3)의 질문하기

③ 대화문을 소리 내어 읽어 보기

⊕ **더 알아봐요**

〈대화〉 내용에서 '내', '네'가 사용되는 것과 관련하여 '내'와 '네'의 발음을 구분하는 것에 대해서 제시하고 설명한다.

  * 구어 상황에서 '네'가 '니'로 사용되는 사례를 제시할 수 있다.

대화 속 문법	-던	24쪽

□ **설명**

- 의미

  말하는 사람이 회상하는 과거의 상황으로 뒤의 대상을 수식할 때 쓴다.

- 형태

동사 / 형용사+던	명사+이던
가다 → 가던 조용하다 → 조용하던	친구 → 친구이던

- 예문

  여기가 부모님과 자주 가던 식당이에요.

  어렸을 때 조용하던 친구가 가수가 되어서 놀랐어요.

  고등학생 때 성실하던 철수 씨는 소방관이 되었어요.

□ **특징 및 제약**

① 과거에 시작했지만 완료되지 않은 행동을 나타낸다. '-(으)ㄴ'은 완료된 행동을 나타낸다.

  예 이 책은 제가 읽던 책이에요. (미완)

  이 책은 제가 읽은 책이에요. (완료)

어휘와 표현	성격 2	25쪽

□ **학습**

① 1과에서 배운 '성격 1' 어휘 복습하기

② 제시된 그림의 표정을 보고 관련 있는 어휘 찾기

③ 어휘 설명하기

④ 어휘 소리 내어 읽어 보기

  * 1과의 '성격 1', 2과의 '성격 2'에서 제시한 어휘 외에 성격을 나타내는 다른 어휘는 무엇이 있을지 이야기할 수 있다.

  예 다정하다, 신중하다 등

읽고 쓰기	26 ~ 27쪽

□ **읽기**

① 기억에 남는 사람의 성격 떠올리기

② 주인아주머니에 대한 글 읽기

③ 1), 2)번 문제를 풀기

④ 1), 2)번에 대한 답 확인하기

◉ **번역해 보기**

- 글의 내용을 학생들이 돌아가면서 한 문장씩 번역해 보게 한다.

- 친구의 번역과 자신의 번역이 같은지 비교해 보게 한다.

□ 쓰기
　① 첫인상과 나중의 모습이 다른 사람에 대한 글쓰기
　② 인물 정하기
　③ 대상 인물의 첫인상 묘사하기
　④ 대상 인물의 첫인상과 나중 인상 비교하기

더하기 활동 | 17쪽

① 학생들에게 띠에 대해서 알고 있는지 물어보기
② <더 읽어 보기>를 읽어 보며 띠와 성격의 관계에 대해 알아
　보기
* 교사는 학생들에게 직접 나이, 출생 년도를 묻지 말고, 출생
　년도에 따른 띠를 표로 정리하여 제시한 후에 학생들이 띠를
　알 수 있도록 도와준다.
③ 책에서 소개된 띠와 성격의 글을 읽어 보고, 자신의 성격과
　비슷한지 비교해 본 후 이야기해 보기

사업을 시작할까
아니면 회사에
취직할까
고민이야

| 도입 | 28~29쪽 |

□ 그림 속 인물의 고민이 무엇인지 이야기해 보고, 요즘 나의 고민
　은 무엇인지 이야기해 보도록 한다.
　* 교사는 '나의 뇌 구조' 그림을 나누어 주고 학생들에게 작성하
　　게 한 후 함께 고민에 대한 이야기를 나눠 볼 수 있다.
　* 현재 고민에 대한 이야기를 풀어내기 어려울 경우 어렸을 때의
　　고민, 10년 뒤에는 어떤 고민을 하고 있을지 등으로 이야기를
　　나눠 볼 수 있다.
□ 한국 대학생들이 하는 고민들 중 가장 많은 비중을 차지하는 것
　에서 적은 비중을 차지하는 순으로 이야기해 보게 한다. 이러한
　고민의 내용과 차지하는 비중이 어떠한지 학생들 나라와 비교하
　여 말해 보게 한다.
　* 한국 대학생들의 '군대, 통학' 등의 고민은 한국의 상황에 대한
　　이해가 필요하므로 교사가 보충 설명할 수 있다.

| 문법 | -(으)ㄹ까 -(으)ㄹ까 | 30쪽 |

□ **설명**
　• 의미
　　판단을 확신하지 못하거나 행동을 결정하지 못하여 망설임을
　　나타낼 때 쓴다.

• 형태

동사+(으)ㄹ까 동사+(으)ㄹ까
취직하다, 유학하다 → 취직할까 유학할까
형용사+(으)ㄹ까 형용사+(으)ㄹ까
어울리다, 안 어울리다 → 어울릴까 안 어울릴까
명사+일까 명사 + 일까
진실, 거짓 → 진실일까 거짓일까

• 예문

파티에 쓸 쿠키를 살까 만들까 고민 중이에요.

친구에게 빌린 책이 재미있을까 재미없을까 아직은 모르겠지만 한번 읽어 보려고 해요.

그 두 사람은 연인일까 친구일까 궁금하네요.

☐ **특징 및 제약**

① 어떤 일에 대해 확실히 결정하지 못했거나, 그랬던 과거의 일에 대해서는 '-(으)ㄹ까 말까'로 표현할 수 있다.

⑩ 영국 유학을 갈까 말까 고민 중이에요.

영국 유학을 갈까 말까 고민했었어요.

② '-(으)ㄹ까 -(으)ㄹ까'는 '-(으)ㄹ지 -(으)ㄹ지'로 바꾸어 쓸 수 있다.

⑩ 이번 연휴에 여행을 갈까 그냥 집에서 쉴까 같이 얘기해 보고 싶어요.

이번 연휴에 여행을 갈지 그냥 집에서 쉴지 같이 얘기해 보고 싶어요.

듣고 말하기   31쪽

☐ **듣기**

① 문제를 보며 듣기의 목표(해리의 고민과 안나의 조언 듣기) 확인하기

② 음원을 들으며 1), 2)번 문제 풀고 확인하기

③ 다시 들으며 3)번 문제 풀고 확인하기

☐ **말하기**

소요 시간 및 학생 수 등을 고려하여 두 가지 방식으로 진행할 수 있다.

방식 1	① 예문 살펴보기 → ② 짝에게 고민 이야기하기 → ③ 짝의 고민을 듣고 조언해 주기

방식 2	① 예문 살펴보기 → ② 교사가 나누어 준 메모지에 자신의 고민을 간단하게 적어 익명으로 제출하기 → ③ 그룹을 나누고 메모지 나누어 갖기 → ④ 고민에 대한 조언이나 해결 방안에 대해 그룹 활동으로 함께 토론하기

대화   32쪽

☐ **대화문 확인**

① 대화문을 눈으로 읽으면서 대화의 음원을 듣게 하기

② 학생들에게 1), 2) 질문하기

③ 대화문을 소리 내어 읽어 보기

⊕ **더 알아봐요**

고민하는 사람에게 많이 해 주는 말들을 제시하고 설명한다.

* 학생들 나라에도 비슷한 표현이 있는지, 어떤 표현들을 사용하는지 묻고 답할 수 있다. 또는 다른 사람의 위로나 조언 중 가장 기억에 남는 말에 대해 함께 이야기해 볼 수 있다.

대화 속 문법   -지 그래요?   32쪽

☐ **설명**

• 의미

상대방에게 앞에 나오는 행동을 권유할 때 쓴다.

• 형태

동사+지 그래요?
고백하다 → 고백하지 그래요?

• 예문

가: 밤마다 윗집에서 큰소리로 노래를 불러서 잠을 못 자고 있어요.

나: 그럼 메모를 써서 문 앞에 붙여 보지 그래요?

☐ **특징 및 제약**

① 주로 가까운 관계에서 사용한다.

② 조언이나 권유의 비슷한 표현으로 '-는게 어때요?', '-게 좋겠어요' 등이 있다.

어휘와 표현   고민거리   33쪽

☐ **학습**

① 그림을 표현하는 어휘 찾기

② 어휘 설명하기

③ 어휘 소리 내어 읽어 보기

④ 제시된 어휘를 사용하여 고민과 그에 대한 조언 말하기

    (조언할 때 '-지 그래요?'로 말하기)

    * 32쪽의 〈더 알아봐요〉를 참고하여 권유할 때 사용하는 다양한
표현들과 속담을 사용하여 말하게 한다.

그때 그 꿈을 포기하지 말았어야 했는데

읽고 쓰기	34~35쪽

□ **읽기**

  ① '대나무숲'의 의미 설명하기

  ② '우리 동네 대나무숲'에 대한 글 읽기

  ③ 1), 2)번 문제 풀기

  ④ 1), 2)번에 대한 답 확인하기

◉ **번역해 보기**

  - 고민 글과 댓글 중 하나를 선택해 번역해 보게 한다.

  - 친구의 번역과 자신의 번역이 같은지 비교해 보게 한다.

□ **쓰기**

  ① '우리 동네 대나무숲'과 같은 게시판에 올리고 싶은 고민 써 보기

  ② 다른 사람의 고민 읽고 댓글 달아 보기

  ③ 나의 고민에 가장 좋은 조언을 해 준 댓글 선정하기

    * 교사는 익명으로 글을 올릴 수 있는 채팅방을 만들어 학생들의
참여를 유도할 수도 있고, 교실에서 롤링페이퍼 형식으로 진행
할 수도 있다.

더하기 활동 | 23쪽

① 행복한 삶을 위해 가장 중요하다고 생각하는 것이 무엇인지
물어보기

② 〈더 읽어 보기〉를 보며 인생의 방향을 바꾸고 행복을 찾은
사람들의 인터뷰 글을 읽고 자기 생각을 이야기해 보기

* 교사는 〈더 읽어 보기〉와 같은 주제의 실제 인물의 인터뷰 기
사나 영상을 찾아 학생들과 함께 보고 이야기를 나눌 수 있다.

도입	36~37쪽

□ 그림 속 사람들이 어떤 일 때문에 후회하고 있는지 이야기한다.
그리고 자신이 후회하는 일에 대해서도 이야기해 보게 한다.

  예 수영을 배울 걸, 그 옷을 살 걸, 회사를 그만두지 말 걸, 고맙다
고 말할 걸 등

□ 한국 사람들이 후회하는 일에 대해 이야기해 본다. 그리고 학생
들 나라 사람들은 어떤 일을 많이 후회하는지도 이야기해 본다.

  * '한국 사람들이 후회하는 일'은 조사 대상에 따라 결과에 차이
가 있을 수 있으므로 직업이나 나이별로 후회하는 일을 조사한
다른 자료가 있으면 추가로 준비할 수 있다.

  * 교사는 학생들 나라 사람들이 후회하는 일에 대한 조사 자료를
준비하여 비교해 보도록 할 수 있다.

문법	-았어야/었어야 했는데	38쪽

□ **설명**

  • 의미

    과거에 앞에 나오는 일을 했으면 좋았을 거라고 생각하면서 후
회나 아쉬움을 나타낼 때 쓴다.

- 형태

동사 / 형용사+ 았어야 / 었어야 했는데	명사+ 이었어야 했는데 / 였어야
뛰어가다 → 뛰어갔어야 했는데 연락하다 → 연락했어야 했는데	끝 → 끝이었어야 했는데

- 예문

  전공을 선택할 때 더 신중하게 생각했어야 했는데 그러지 않은 것이 후회된다.

  어제 일찍 잤어야 했는데 너무 늦게 잤더니 피곤하다.

  화를 참았어야 했는데 순간 나도 모르게 소리를 지르고 말았다.

□ **특징 및 제약**

① 명사와 결합할 수 있으나 쓰임이 제한적인 편이다.

  예 이번 1등의 주인공이 나였어야 했는데 아쉽다.

② 뒤에 말줄임표를 붙이거나 '-았어야/었어야 했다'의 형태로 써서 문장을 끝낼 때도 사용할 수 있다.

  예 어제 과제를 끝내고 잤어야 했는데….

  대회에서 실수하지 않도록 연습을 더 많이 했어야 했다.

듣고 읽기	39쪽

□ **듣기**

① 1)번 문제를 보며 듣기의 목표(두 사람이 후회하는 것 듣기) 확인하기

② 음원을 들으며 1)번 문제를 풀고 확인하기

③ 2)번 문제를 보며 듣기의 목표(안나가 생각하는 독서의 장점 듣기) 확인하기

④ 음원을 들으며 2)번 문제를 풀고 확인하기

□ **읽기**

① 자신의 이름에 대해 어떻게 생각하는지, 이름을 바꾸고 싶은 적이 있었는지에 대해 이야기하기

② 글의 제목 보면서 내용 유추하기

③ 1), 2)번 문제를 보며 읽기 목표(지우 씨가 후회하는 것 읽기, 세부 내용 파악) 확인하고 글 읽기

④ 1), 2)번 문제를 풀기

⑤ 1), 2)번에 대한 답 확인하기

대화	40쪽

□ **대화문 확인**

① 대화문을 눈으로 읽으면서 대화의 음원을 듣게 하기

② 학생들에게 1) ~ 3)의 질문하기

③ 대화문을 소리 내어 읽어 보기

⊕ **더 알아봐요**

〈대화〉에서 재민 씨가 예전에 포기한 것에 대해 후회하는 것에 대해 주목한다. 이와 관련지어 〈더 알아봐요〉의 후회와 관련된 속담 표현을 제시하고 설명한다.

  * 교사는 '이불 킥(kick)'같이 후회와 관련된 신조어나 유행어를 추가로 준비하여 알려줄 수 있다.

  * 학생들 나라에 비슷한 속담이 있는지 묻고 답할 수 있다.

대화 속 문법	-았을 / 었을 텐데	40쪽

□ **설명**

- 의미

  만약 과거가 달랐다면 앞에 나오는 내용의 일이 일어나거나 그런 상황이 되었을 것이라고 생각하면서 후회나 아쉬움을 나타낼 때 쓴다.

- 형태

동사 / 형용사+ 았을 / 었을 텐데	명사+ 이었을 / 였을 텐데
타다 → 탔을 텐데 맞다 → 맞았을 텐데	학생 → 학생이었을 텐데

- 예문

  내가 달리기가 조금만 더 빨랐어도 안나를 이길 수 있었을 텐데.

  이불을 잘 덮고 잤으면 감기에 걸리지 않았을 텐데.

  친구들의 도움을 받았으면 성공했을 텐데 실패해서 아쉬워요.

□ **특징 및 제약**

① 문장을 끝낼 때도 사용할 수 있고 연결어미로도 사용할 수 있다.

  예 서둘렀으면 기차를 탈 수 있었을 텐데.

  서둘렀으면 기차를 탈 수 있었을 텐데 도착해 보니 기차가 이미 출발했더라고요.

② 앞에 '-(으)면', '-다면'과 같은 가정 표현이 오는 경우가 많다.

  예 물건을 싸게 팔았다면 벌써 다 팔렸을 텐데.

어휘와 표현	후회되는 일	41쪽

□ **학습**

① 그림 속 인물들이 후회하는 이유를 어휘에서 찾아보기

② 어휘 설명하기

③ 어휘 소리 내어 읽어 보기

④ 문장 완성해서 말하기

⑤ 최근에 가장 후회한 일에 대해 어휘를 사용하여 이야기해 보기

＊교재에서 제시한 후회 표현 외에 다른 표현은 어떤 것이 있을지 이야기할 수 있다.

> ⑩ 게으름을 피우다/도전을 두려워하다/할 일을 미루다/다른 사람의 조언을 잘 듣지 않다/일을 끝내지 못하다/하고 싶은 일을 하지 못하다/아무 것도 하지 않고 시간을 보내다 등

말하고 쓰기	42쪽

□ **말하기**

소요 시간 및 학생 수를 고려하여 두 가지 방식으로 진행할 수 있다.

방식 1	① 예문 살펴보기 → ② 〈이렇게 해 봐요〉 보면서 생각 정리하기 → ③ 메모하며 발표 준비하기 → ④ 준비한 내용을 한 명씩 발표하기
방식 2	① 예문 살펴보기 → ② 〈이렇게 해 봐요〉 보면서 생각 정리하기 → ③ 메모하며 말할 준비하기 → ④ 짝 또는 그룹 활동으로 준비한 내용 이야기하기, 친구들이 후회되는 일이 무엇인지 듣고 메모하기 → ⑤ 메모해 놓은 내용을 정리하여 다른 친구에게 이야기하기

◉ **통역해 보기**

- 말하기에서 다른 친구가 발표하는 내용을 듣고 메모하게 한다.
- 메모한 내용을 두 문장 정도로 요약해서 자기 나라 말로 통역해 보게 한다.
- 자신의 통역과 친구들의 통역이 같은지 비교해 보게 한다.

□ **쓰기**

① 살면서 가장 후회되는 일 떠올려 보기

＊말하기 활동에서 이야기했던 것을 그대로 해도 되고 다른 후회되는 일을 생각해도 된다.

② 생각한 내용을 바탕으로 글 구상하기

③ 읽기 지문을 참고하면서 살면서 가장 후회되는 일에 대해 쓰기

더하기 활동 | 29쪽

① 다른 사람들이 후회하는 일 중에서 어떤 것이 공감되는지 물어보기

② 〈더 읽어 보기〉를 읽어 보며 한국 사람들이 가장 많이 하는 후회 확인하기

＊교사는 드라마나 영화에서 주인공이 어떤 일에 대해 후회하는 장면을 찾아서 학생들에게 보여 줄 수 있다.

③ 현재 학생들이 하는 후회와 비슷한지 다른지 이야기해 보기

40대는 청소년들에 비해서 결혼을 해야 한다는 응답이 많았습니다

도입	44~45쪽

□ 그림 속 인물의 나이에 따른 변화 과정을 보면서 시기별로 어떠한 특징이 있는지 이야기해 보게 한다.

□ 한국의 세대에 대한 표현을 소개하고, 학생들의 나라에서는 세대에 대한 어떤 표현과 특징이 있는지 이야기해 보게 한다.

＊교사는 인터넷을 통해 다양한 국가에서 사용하는 세대에 관한 표현을 준비하여 활용할 수 있다. ⑩ (일본 단카이 세대(베이비부머 세대), 중국 지우링 호우(1990년대 이후 출생 세대))

문법	에 비해서	46쪽

□ **설명**

• 의미

앞의 명사가 비교의 대상이 되어 뒤 내용과 같은 평가가 있음을 나타낼 때 사용한다. '에 비해'라고도 쓸 수 있다.

• 형태

명사+에 비해서
노인들 → 노인들에 비해서

• 예문

한국 음식은 고향 음식에 비해서 더 맵다.

노인들은 청년들에 비해서 건강에 관심이 많다.

10년 전에 비해서 한국어를 배우는 외국인이 늘어났다.

□ 특징 및 제약
   ① 둘을 비교하여 기술한다는 점에서 '보다'와 유사하지만 '에 비
      해서'는 비교 대상뿐 아니라 비교 기준을 나타낼 수도 있다는
      점에서 다르다.
        ⑩ 이 컴퓨터는 가격에 비해서 성능이 좋은 편이 아니다. (○)
           이 컴퓨터는 가격보다 성능이 좋은 편이 아니다. (×)
   ② 비교의 의미를 강조하기 위해 '더', '덜', '훨씬'과 같은 부사가
      자주 함께 사용된다.
        ⑩ 쓰기 시험이 말하기 시험에 비해서 더 어려웠다.
           서울은 다른 도시에 비해서 집값이 훨씬 비싸다.

듣고 말하기	47쪽

□ 듣기
   ① 1)번 문제를 보며 듣기의 목표(부모님과 세대 차이) 확인하기
   ② 음원을 들으며 1)번 문제를 풀고 확인하기
   ③ 2)번 문제를 보며 들으면서 파악해야 할 세부 내용 확인하기
   ④ 음원을 들으며 2)번 문제를 풀고 확인하기

□ 말하기
   소요 시간 및 학생 수를 고려하여 두 가지 방식으로 진행할 수 있다.

방식 1	① 예문 살펴보기 → ② 메모하며 발표 준비하기 → ③ 준비한 내용을 한 명씩 발표하기
방식 2	① 예문 살펴보기 → ② 메모하며 말할 준비하기 → ③ 짝 또는 그룹 활동을 통해 세대 차이 경험 소개하기 → ④ 메모해 놓은 친구의 세대 차이 경험을 다른 친구에게 소개하기

대화	48쪽

□ 대화문 확인
   ① 대화문을 눈으로 읽으면서 대화의 음원을 듣게 하기
   ② 학생들에게 1) ~ 2)의 질문하기
   ③ 대화문을 소리 내어 읽어 보기

⊕ 더 알아봐요
   〈대화〉 내용에서 설문 조사 결과를 제시하는 것과 관련하여 조사
   결과를 보고할 때 사용하는 표현에 대해서 설명한다. 또한 '세대
   별'이라는 어휘가 사용되는 것과 관련하여 '-별'의 의미를 소개하
   고, 지역별', '학교별' 등의 실제 사용 사례를 제시한다.

대화 속 문법	-아야지 / 어야지	48쪽

□ 설명
   • 의미
    다른 사람에게 어떤 일을 해야 한다거나 어떤 상태여야 함을
    말하거나 말하는 사람이 의지를 가지고 어떠한 일을 하려고 할
    때 쓴다.

   • 형태

동사+-아야지 / 어야지
받다 → 받아야지 운동하다 → 운동해야지

   • 예문
    학교에 일찍 와야지.
    올해는 꼭 담배를 끊어야지.
    건강을 유지하려면 매일 운동해야지.

□ 특징 및 제약
   ① 화자의 의지를 나타낼 때에는 1인칭 주어만 사용할 수 있다.
      ⑩ 내일부터 한국어를 열심히 공부해야지. (○)
        내일부터 철수가 한국어를 열심히 공부해야지. (×)
   ② 화자의 의지를 나타낼 때에는 동사, 현재형으로만 쓸 수 있지
      만, 다른 사람에게 어떤 일을 해야 한다거나 어떤 상태여야 함
      을 말할 때에는 형용사와 선어말어미 '-았/었-'과 결합이 가능
      하다.
      ⑩ (화자의 의지) 한국 회사에 취직하려면 오늘부터 한국어를
        열심히 공부해야지. (○)
        (한국 회사에 취직하지 못한 후배에게) 한국 회사에 취직
        하려면 한국어 실력이 좋았어야지. (○)

어휘와 표현	세대	49쪽

□ 학습
   ① 제시된 그림을 표현하는 어휘 찾기
   ② 어휘 설명하기
   ③ 어휘 소리 내어 읽어 보기
   * 교재에서 제시한 인간의 생애 주기별 어휘 외에 다른 어휘는
    무엇이 있을지 이야기할 수 있다.
      ⑩ 유아기, 장년기 등

□ **읽기**

  ① 세대 차이에 대해 이야기하기

  ② 직장 내 세대 차이에 대한 글 읽기

  ③ 1), 2)번 문제를 풀기

  ④ 1), 2)번에 대한 답 확인하기

◉ **번역해 보기**

  - 글의 내용을 학생들이 짝을 이루어 한 문단씩 번역해 보게 한다.

  - 친구의 번역과 자신의 번역이 같은지 비교해 보게 한다.

□ **쓰기**

  ① 세대 차이 경험에 대한 글쓰기

  ② 세대 차이를 경험한 장소 소개하기

  ③ 누구와 세대 차이를 경험했는지 대상 소개하기

  ④ 세대 차이의 내용 자세하게 소개하기

더하기 활동 | 35쪽

① 학생들에게 한국어의 신조어에 대해서 알고 있는지 물어보기

② 〈더 읽어 보기〉를 읽어 보며 신조어 만드는 방법에 대해 알아보기

③ 학생들이 추가적으로 알고 있는 신조어에 대해 이야기해 보기

* 교사는 드라마나 노래 가사에서 사용된 신조어를 추가로 보여 줄 수 있다.

④ 학생들의 나라에서 신조어를 만들 때 사용하는 방법에 대해서 이야기해 보기

식당에서 직원을 어떻게 부르는지 알아요?

□ 그림을 보면서 세계의 다양한 인사 방법과 식사 기구에 대해 이야기한다. 그리고 세계 여러 나라에서 볼 수 있는 문화 차이에 대해서도 이야기해 보게 한다.

  예 세계의 다양한 전통 의상, 음식, 결혼식 등

□ 그림을 보면서 한국의 한글, 문화 유산, 한복, 음식 등에 대해 이야기해 본다. 그리고 학생들 나라에서는 어떤 문화가 있는지에 대해서도 이야기해 본다.

  * 교사는 한국의 현대 생활 문화를 보여 주는 다른 자료가 있으면 추가로 준비할 수 있다.

    예 한옥 마을, 교복을 입은 학생들, 등산하는 사람들, 한국의 길거리 음식 등

  * 교사는 학생들 나라의 생활 문화와 관련된 자료를 준비하여 비교해 보도록 할 수 있다.

□ **설명**

  • 의미

  어떤 내용에 대해 알거나 모르는 것을 말할 때 쓴다.

• 형태

동사+는지 알다, 모르다	형용사+ (으)ㄴ지 알다, 모르다	명사+(이)ㄴ지 알다, 모르다
끝나다 → 끝나는지 알다, 모르다	빠르다 → 빠른지 알다, 모르다	무엇 → 무엇인지 알다, 모르다

• 예문

온라인 수업에 어떻게 접속하는지 알아요?

안나 씨가 어디가 아파서 입원했는지 알아요?

저는 복사기를 어떻게 사용하는지 잘 몰라요.

□ **특징 및 제약**

① 질문할 때 많이 사용하지만 대답할 때나 평서문에도 사용할 수 있다.

　🔘 해리 씨가 어디 사는지 알아요?

　　아니요. 어디 사는지 몰라요.

② '-는지/(으)ㄴ지 알다, 모르다'와 '-는지/(으)ㄴ지 -는지/(으)ㄴ지 알다, 모르다'

-는지/(으)ㄴ지 알다, 모르다	-는지/(으)ㄴ지 -는지/ (으)ㄴ지 알다, 모르다
'-는지/(으)ㄴ지' 앞에 누구, 언제, 몇 등의 의문사가 꼭 있어야 함. 🔘 동생이 학교에서 언제 오는지 알아요? (○) 동생이 학교에서 오는지 알아요? (×)	'-는지/(으)ㄴ지'를 두 번 이상 써야 하고 의문사를 필요로 하지 않음. 🔘 지금 밖에 비가 오는지 안 오는지 알아요? 유진 씨가 집에 있는지 도서관에 있는지 몰라요.

③ '얼마나 -는지/(으)ㄴ지 알다, 모르다'

앞의 상태나 상황이 상당함을 강조할 때 사용한다.

　🔘 이 책이 요즘 얼마나 많이 팔리는지 알아요? 없어서 못 살 정도예요.

　　이 책이 얼마나 유익한지 몰라요.

듣고 말하기	55쪽

□ **듣기**

① 1)번 문제를 보며 듣기의 목표(두 사람이 무엇에 대해 이야기하는지 듣기) 확인하기

② 음원을 들으며 1)번 문제를 풀고 확인하기

③ 2)번 문제를 보며 들으면서 파악해야 할 세부 내용 확인하기

④ 음원을 들으며 2)번 문제를 풀고 확인하기

□ **말하기**

소요 시간 및 학생 수를 고려하여 두 가지 방식으로 진행할 수 있다.

방식 1	① 예문 살펴보기 → ② 메모하며 발표 준비하기 → ③ 준비한 내용을 한 명씩 발표하기
방식 2	① 예문 살펴보기 → ② 메모하며 말할 준비하기 → ③ 짝 또는 그룹 활동으로 준비한 내용 이야기하기, 친구가 문화 차이를 느낀 경험에 대해 듣고 메모하기 → ④ 메모해 놓은 내용을 정리하여 다른 친구에게 이야기하기

대화	56쪽

□ **대화문 확인**

① 대화문을 눈으로 읽으면서 대화의 음원을 듣게 하기

② 학생들에게 1) ~ 2)의 질문하기

③ 대화문을 소리 내어 읽어 보기

⊕ **더 알아봐요**

〈대화〉에서 진 씨는 한국 식당에서 경험한 문화 차이에 대해 이야기하고 있다. 이와 관련지어 〈더 알아봐요〉에서 한국 식당에만 있는 독특한 물건들을 설명한다.

＊ 교사는 물과 밑반찬을 스스로 가져다 먹는 것, 방바닥에 방석을 깔고 앉는 것, 음료수를 서비스로 주는 것 등 한국 식당의 문화와 관련된 자료를 더 준비하여 학생들에게 보여 줄 수 있다.

＊ 학생들 나라의 식당에도 특별한 것이 있는지 묻고 답할 수 있다.

대화 속 문법	-는다면서요?/ㄴ다면서요? /다면서요?	56쪽

□ **설명**

• 의미

들어서 아는 어떤 사실을 상대방에게 확인하기 위해 물어볼 때 쓴다.

• 형태

동사+는다면서요?/ㄴ다면서요?	형용사+다면서요?	명사+(이)라면서요?
받다 → 받는다면서요?	부족하다 → 부족하다면서요?	주인공 → 주인공이라면서요?

- 예문

    내일 인도네시아로 출장을 간다면서요?

    해리 씨 집 근처에 있는 마트가 다른 마트보다 싸다면서요?

    저 사람이 유명한 배우라면서요?

☐ **특징 및 제약**

① 들은 내용이 과거의 일이면 '-았다면서요/었다면서요?'를 사용한다.

    ⑩ 영국의 유명한 가수가 한국에 왔다면서요?

② 구어에서 주로 사용하며, 친구나 아랫사람에게는 '-는다면서?/ㄴ다면서?/다면서?'라고 쓴다. '-는다며?/ㄴ다며?/다며?'로 줄여 쓸 수도 있다.

    ⑩ 이번 시험이 어려웠다면서?

        이번 시험이 어려웠다며?

어휘와 표현	한국 문화	57쪽

☐ **학습**

① 제시된 그림을 표현하는 어휘 찾기

② 어휘 설명하기

③ 어휘 소리 내어 읽어 보기

④ 문장 완성해서 말하기

⑤ 어휘를 사용하여 한국 문화와 자기 나라 문화 비교하여 말하기

＊ 교재에서 제시한 열 가지 외에 한국 문화를 나타내는 다른 표현은 어떤 것이 있을지 이야기할 수 있다.

    ⑩ 성격이 급하다(빨리빨리)/태어나자마자 한 살을 먹다/쓰레기 분리수거를 하다/고개를 숙여서 인사하다

읽고 쓰기	58~59쪽

☐ **읽기**

① 지문 아래 있는 그림을 보면서 각각의 손동작이 어떤 의미로 사용되는지에 대해 이야기하기

② 나라별로 다른 손동작의 의미에 대한 글 읽기

③ 읽은 내용을 바탕으로 표 채우기

④ 표에 들어갈 답 확인하기

◉ **번역해 보기**

- 학생들이 손동작의 의미를 하나씩 맡아서 번역해 보게 한다.

- 친구의 번역과 자신의 번역이 같은지 비교해 보게 한다.

☐ **쓰기**

① 자기 나라의 몸짓 언어와 다른 나라의 몸짓 언어의 의미 차이 생각하기

＊ 학생들은 읽기 지문의 내용과 〈더 알아봐요〉의 내용을 참고하거나 인터넷에서 다른 정보를 검색할 수 있다.

② 생각한 내용을 바탕으로 글 구상하기

③ 몸짓 언어의 의미 차이를 비교하는 글 쓰기

⊕ **더 알아봐요**

읽기 지문과 쓰기 주제가 나라별 몸짓 언어의 의미 차이에 대한 것이다. 이와 관련지어 〈더 알아봐요〉에서 한국에서 아이들이 약속할 때 사용하는 동작에 대해 설명한다.

＊ 교사는 쓰기 활동 전에 〈더 알아봐요〉를 설명하여 학생들이 쓰기 주제에 대해 브레인스토밍을 하는 데 도움을 줄 수 있다.

＊ 교사는 한국에서 팔이나 손으로 하트를 표시하는 방법 등 몸짓 언어에 대한 자료를 더 준비하여 보여 줄 수 있다.

더하기 활동 ┃ 41쪽

① 한국 드라마나 영화를 보면서 신기하거나 이상하다고 느낀 것이 있는지 물어보기

② 〈더 읽어 보기〉를 읽으며 외국인들이 한국에 와서 놀라는 한국 문화에 어떤 것이 있는지 확인하기

＊ 교사는 외국인이 낯설어 하는 다른 한국 문화에 대한 자료를 찾아서 학생들에게 보여 줄 수 있다.

    ⑩ 지하철과 버스 환승 할인, 지하철 임산부석, 치맥(치킨과 맥주), 가족 화장실(엄마나 아빠와 아이 변기가 함께 있는 화장실) 등

③ 학생들 나라에만 있는 특별한 문화에 대해 이야기해 보기

저는 하늘길을 관리하는 일을 합니다

| 도입 | 60~61쪽 |

☐ 그림 속 분야와 관련된 직업에는 어떤 것들이 있는지 이야기해 보게 한다.

＊ 사라진 직업, 새로 생긴 직업이나 역할 변화에 대하여 이야기 할 수 있다.

☐ 한국의 청소년들과 학생들 나라의 청소년들이 관심을 가지는 직업 분야에 대해 비교하여 이야기해 본다.

＊ 교사는 학생들이 원하는 직업, 부모가 원하는 직업 등에 대한 설문 조사 자료를 준비하여 보여 주고 학생들 나라는 어떠한지, 학생들 본인과 부모님의 생각은 어떻게 다른지 등에 대해 함께 이야기해 볼 수 있다.

| 문법 | -는 데에 | 62쪽 |

☐ **설명**
• 의미
주로 '도움이 되다, 효과가 있다, 시간이 걸리다, 필요하다' 등의 앞에 쓰여, 그 대상이나 목적이 됨을 나타낸다. '-는 데'라고도 쓴다.
• 형태

동사+는 데에
복학하다 → 복학하는 데에

• 예문
커피는 잠을 깨는 데에 효과가 있어요.
두 사람이 화해하는 데에 시간이 좀 걸릴 거예요.
피부 치료하는 데에 돈이 많이 들었어요.

☐ **특징 및 제약**
① '-는 데에' 뒤에는 주로 '좋다, 도움이 되다, 효과가 있다, 필요하다, (시간이) 걸리다, (비용이) 들다' 등이 온다.
◉ 메모하는 습관은 기억력을 높이는 데에 많은 도움이 돼요.
② '(벌레에) 물리다, (감기에) 걸리다, (두드러기가) 나다, (다리가) 부러지다, 만들다'와 같은 동사와 함께 쓰인다.
◉ 벌레에 물린 데에는 이 연고가 좋아요.
이런 기능을 만든 데에는 다 이유가 있을 거예요.

| 듣고 말하기 | 63쪽 |

☐ **듣기**
① 1)번 문제를 보며 듣기의 목표(안무가는 어떤 일을 하는 직업인지 듣기)를 확인하기
② 음원을 들으며 1)번 문제를 풀고 확인하기
③ 2)번 문제를 보며 들으면서 파악해야 할 세부 내용 확인하기
④ 음원을 들으며 2)번 문제를 풀고 확인하기

☐ **말하기**
소요 시간 및 학생 수를 고려하여 두 가지 방식으로 진행할 수 있다.

방식 1	① 예문 살펴보기 → ② 메모하며 발표 준비하기 → ③ 준비한 내용을 한 명씩 발표하기
방식 2	① 예문 살펴보기 → ② 메모하며 발표 준비하기 → ③ 준비한 내용을 한 명씩 발표하기 → ④ 발표자의 발표를 듣고 그와 관련된 내용 질문하고 답하기

| 대화 | 64쪽 |

☐ **대화문 확인**
① 대화문을 눈으로 읽으면서 대화의 음원을 듣게 하기
② 학생들에게 1) ~ 3)의 질문하기
③ 대화문을 소리 내어 읽어 보기
- 인천국제공항 사진을 보며 공항에 대해 이야기해 볼 수 있다.

⊕ **더 알아봐요**
- 〈대화〉 본문에서 어휘 '판단력'이 나온 문장을 다시 한 번 읽어 보고 '-력(力)'이 들어가는 한자어에 대해 제시하고 설명한다.

□ 설명

- 의미

  앞에 나오는 일을 하는 과정에서 어떤 상태가 되었거나 새로운 사실을 알게 되었을 때 쓴다.

- 형태

동사+다 보니
배우다 → 배우다 보니

- 예문

  길을 헤매다 보니 늦은 저녁이 되었더라고요.

  요즘 자주 밤을 새우다 보니 건강이 안 좋아졌어요.

  매일 같은 일을 반복하다 보니 이제는 눈 감고도 해요.

□ 특징 및 제약

① 앞 문장과 뒤 문장의 주어가 같아야 한다.

② '-다가 보니'로 쓸 수 있다.

③ '-다 보니'와 '-고 보니'

-다 보니	-고 보니
어떤 일을 하는 과정에서 새로운 사실을 깨닫거나 새로운 상태가 됨을 표현할 때 사용함. ⑩ 만나다 보니 좋은 사람이라는 것을 알겠더라고요. 만나고 보니 좋은 사람이라는 것을 알겠더라고요	
행위의 과정에 초점이 놓여 있음. ⑩ 만들다 보니 힘이 들어서 포기했어요.	행위의 결과에 초점이 놓여 있음. ⑩ 만들고 보니 마음에 들어요.

□ 학습

① 어휘 설명하기

② 제시된 그림 속 직업과 관련된 업무 찾아보기

③ 어휘 소리 내어 읽어 보기

* 2)번은 어휘를 확장해 볼 수 있는 활동이다. 교사는 다양한 직업 사진을 미리 준비하여 보여 주며, 사진 속 직업의 업무에 대해 학생들이 이야기해 보게 한다. 이때 사진은 학생들에게 익숙한 직업으로 준비하여 말하기의 초점이 직업이 아닌 업무 내용이 되도록 한다.

□ 읽기

① 요리 연구가에 대한 글 읽기

② 1), 2)번 문제를 풀기

③ 1), 2)번에 대한 답 확인하기

⊕ 더 알아봐요

- 적성을 말할 때 사용하는 표현에 대해 배울 수 있다.

◉ 번역해 보기

- 학생들이 글의 내용을 짝과 한 부분씩 번역해 보게 한다.

- 친구의 번역과 자신의 번역이 같은지 비교해 보게 한다.

□ 쓰기

① 인터뷰에 필요한 질문지 작성해 보기

② 더 필요한 질문은 없는지 바꿔 읽고 보충 내용 작성하기(짝 또는 그룹 활동)

③ 인터뷰 후 글 완성하기

  * ①, ② 활동은 교실에서, ③은 과제로 구성해 볼 수 있다.

더하기 활동 | 47쪽

① 과학 기술 발달이 가져온 우리의 생활과 직업 변화에 대해 이야기해 보기

② 미래의 유망 직업에 대한 〈더 읽어 보기〉 자료를 읽고 자기 생각 이야기해 보기

삶에 대한 가르침을 줬다는 점에서 존경을 받습니다

• 형태

동사+는다는/ ㄴ다는 점에서	형용사+다는 점에서	명사+(이)라는 점에서
사용하다 → 사용한다는 점 에서	새롭다 → 새롭 다는 점에서	최고 → 최고라 는 점에서

• 예문

형과 나는 운동을 좋아하고 공부를 싫어한다는 점에서 잘 맞는다.

그 제품은 디자인이 새롭다는 점에서 소비자의 관심을 받았다.

그는 국민들과 적극적으로 소통했다는 점에서 좋은 지도자로 평가 받는다.

☐ **특징 및 제약**

① 앞에 인용한 내용이 완료된 상황이나 결과를 나타내는 경우에는 동사에 '-았다는/었다는 점에서'가 결합하여 쓰인다.

　　예 지금까지와는 다른 새로운 방법을 시도했다는 점에서 그의 도전을 높이 평가한다.

② 긍정적인 판단의 근거를 나타낼 때 주로 사용하지만 부정적인 판단의 근거를 나타낼 때도 사용할 수 있다.

　　예 그는 우리에게 나쁜 영향을 주었다는 점에서 가장 인상에 남는 인물이다.

도입	68~69쪽

☐ 그림 속 인물이 누구인지, 그 사람이 왜 존경받는지에 대해 이야기한다. 그리고 자신이 존경하는 인물에 대해서도 이야기해 보게 한다.

　　예 세계의 위인, 한국의 위인, 자기 나라에서 존경받는 인물 등

☐ 그림을 보면서 한국 화폐에 있는 인물들에 대해 이야기해 본다. 그리고 학생들 나라의 화폐에는 어떤 그림이 있는지, 사람이 있다면 어떤 사람인지에 대해서도 이야기해 본다.

　　* 교사는 한국의 화폐를 종류별로 준비하여 학생들이 화폐를 직접 보면서 수업할 수 있도록 한다.

　　* 교사는 학생들 나라의 화폐도 준비하여 한국 화폐의 그림과 비교해 보도록 할 수 있다.

문법	-는다는/ㄴ다는/다는 점에서	70쪽

☐ **설명**

• 의미

앞에 인용한 내용이 뒤의 판단에 근거가 됨을 나타낸다.

듣고 읽기	71쪽

☐ **듣기**

① 1)번 문제를 보며 듣기의 목표(한국 사람들에게 가장 존경 받는 직업 듣기) 확인하기

② 음원을 들으며 1)번 문제를 풀고 확인하기

③ 2)번 문제를 보며 들으면서 파악해야 할 세부 내용 확인하기

④ 음원을 들으며 2)번 문제를 풀고 확인하기

☐ **읽기**

① 세계의 유명한 부자들에 대해 이야기하기

② 경주 최 부잣집에 대한 글 읽기

③ 1), 2), 3)번 문제를 풀기

④ 1), 2), 3)번에 대한 답 확인하기

대화	72쪽

☐ **대화문 확인**

① 발표문을 눈으로 읽으면서 발표의 음원을 듣게 하기

② 학생들에게 1)~3)의 질문하기

③ 발표문을 소리 내어 읽어 보기

⊕ 더 알아봐요

〈대화〉에서 민호 씨는 법정 스님에 대해 발표하고 있다. 이와 관련지어 〈더 알아봐요〉에서 법정 스님과 그의 작품에 대해 알아본다.

* 교사는 법정 스님의 수필집에서 유명한 구절을 추가로 준비하여 학생들에게 알려 줄 수 있다.
* 학생들 나라에 비슷한 인물이 있는지 묻고 답할 수 있다.

대화 속 문법	-(으)ㄴ 결과	72쪽

□ 설명

• 의미

앞에 나오는 일을 한 후에 뒤의 내용의 결과로 마무리되었다는 것을 나타낸다.

• 형태

동사+(으)ㄴ 결과
노력하다 → 노력한 결과

• 예문

아빠는 매일 한 시간씩 꾸준히 달린 결과 체중 감량에 성공하셨다.

실험 과정을 다시 살펴본 결과 새로운 문제점을 발견하였다.

식당을 성실하게 운영한 결과 돈을 많이 벌 수 있었다.

□ 특징 및 제약

① '-(으)ㄴ 결과로', '-(으)ㄴ 결과이다'의 형태로도 사용한다.

　　예 한국 드라마를 많이 본 결과로 말하기 실력이 향상되었다.

　　　　말하기 실력이 향상된 것은 한국 드라마를 많이 본 결과이다.

② '-았/었-', '-겠-'과 함께 쓰일 수 없다.

　　예 한 달 동안 수사했은 결과 범인을 잡을 수 있었다. (×)

③ 뒤에 명령문이나 청유문이 올 수 없다.

　　예 오랫동안 훈련한 결과 금메달을 따라. (×)

어휘와 표현	업적	73쪽

□ 학습

① 제시된 그림을 표현하는 어휘 찾기

② 어휘 설명하기

③ 어휘 소리 내어 읽어 보기

④ 문장 완성해서 말하기

⑤ 사진 속 인물들이 한 일에 대해 어휘를 사용하여 이야기해 보기

* 교재에서 제시한 업적을 설명하는 표현 외에 다른 표현은 어떤 것이 있을지 이야기할 수 있다.

　　예 영향력을 미치다 / 책임감이 강하다 / 뛰어난 성과를 거두다 / 즐거움을 주다

말하고 쓰기	74~75쪽

□ 말하기

소요 시간 및 학생 수를 고려하여 두 가지 방식으로 진행할 수 있다.

방식 1	① 예문 살펴보기 → ② 1), 2), 3)번 질문을 보면서 생각 정리하기 → ③ 메모하며 발표 준비하기 → ④ 준비한 내용을 한 명씩 발표하기
방식 2	① 예문 살펴보기 → ② 1), 2), 3)번 질문을 보면서 생각 정리하기 → ③ 메모하며 말할 준비하기 → ④ 짝 또는 그룹 활동으로 준비한 내용 이야기하기, 친구들이 말한 인물에 대한 내용을 듣고 메모하기 → ⑤ 메모해 놓은 내용을 정리하여 다른 친구에게 이야기하기

□ 쓰기

① 자기 나라 사람들이 존경하는 인물 떠올려 보기

* 말하기 활동에서 이야기했던 인물을 그대로 가져와도 되고 다른 존경하는 인물을 생각해도 됨.

② 〈이렇게 해 봐요〉를 보면서 쓰기 전략을 점검하고, 글로 소개할 내용을 메모하기

③ 존경하는 인물에 대해 소개하는 글 쓰기

◉ 번역해 보기

- 학생 세 명 정도씩 모둠을 만든다.

- 친구가 쓴 글을 읽으면서 존경하는 인물과 그 인물을 존경하는 이유에 대해 쓴 부분을 찾아서 번역해 보게 한다.

- 친구의 번역과 자신의 번역이 같은지 비교해 보게 한다.

더하기 활동 | 53쪽

① 20세기를 빛낸 인물에는 누가 있다고 생각하는지 물어보기

② 〈더 읽어 보기〉를 읽어 보며 사진 속 인물들이 어떤 업적을 남겼는지 확인하기

* 교사는 20세기에 훌륭한 업적을 남긴 인물에 대한 자료를 추가로 준비할 수 있다. 교재에 없는 영역인 음악가, 정치가, 운동선수 등의 인물을 찾아서 소개할 수 있다.

* 현재 활발하게 활동하고 있는 인물 중 사람들에게 높은 평가를 받고 있는 인물에 대해 소개할 수도 있다.

　　예 연예인, 소설가 등

③ 학생들이 생각한 인물과 비슷한지, 20세기를 빛낸 다른 인물이 더 있는지 이야기해 보기

갈수록 현금을 사용하는 사람들이 줄어들고 있습니다

도입	76~77쪽

□ 그림 속의 과거와 현재를 비교해 보면서 무엇이 달라졌는지 이야기해 보게 한다.

□ 표의 내용을 제시하며 시간의 흐름에 따라 달라지는 한국의 가족 형태에 대해 설명을 한다. 이후 학생들의 나라에서는 가족 형태의 변화가 어떠한지 이야기해 보게 한다.

  * 교사는 국가별 혼인율, 출산율 등을 활용할 수 있다.

문법	-(으)ㄹ수록	78쪽

□ **설명**

  • 의미

  앞에 나오는 상황이나 정도가 점점 심해지고 그에 따라 뒤에 나오는 내용도 점점 변화함을 나타낼 때 쓴다.

  • 형태

동사/형용사+(으)ㄹ수록
많다 → 많을수록
가다 → 갈수록

  • 예문

  공부하는 시간이 많을수록 실력이 빠르게 향상된다.

  시간이 갈수록 한국에 사는 외국인들의 수가 늘어나고 있다.

  한글은 알수록 과학적인 글자인 것 같다.

□ **특징 및 제약**

  ① '-(으)면 -(으)ㄹ수록'의 형태로 사용되는 경우가 많다.

  예 우리 동네는 살면 살수록 좋은 곳인 것 같다.

  한국어는 배우면 배울수록 어려운 언어이다.

  ② '-(으)ㄹ수록' 뒤에 오는 절에는 '더', '덜'과 같이 정도를 나타내는 부사가 함께 사용된다.

  예 이 영화는 볼수록 더 재미있다.

  인터넷이 발달할수록 사람들이 종이책을 덜 읽는다.

듣고 말하기	79쪽

□ **듣기**

  ① 1)번 문제를 보며 듣기의 목표(어떤 변화에 대해 이야기하는지 듣기) 확인하기

  ② 음원을 들으며 1)번 문제를 풀고 확인하기

  ③ 2)번 문제를 보며 들으면서 파악해야 할 세부 내용 확인하기

  ④ 음원을 들으며 2)번 문제를 풀고 확인하기

□ **말하기**

  소요 시간 및 학생 수를 고려하여 두 가지 방식으로 진행할 수 있다.

방식 1	① 예문 살펴보기 → ② 메모하며 발표 준비하기 → ③ 준비한 내용을 한 명씩 발표하기
방식 2	① 예문 살펴보기 → ② 메모하며 말할 준비하기 → ③ 짝 또는 그룹 활동을 통해 예전과 달라진 변화 소개하기 → ④ 메모해 놓은 내용을 다른 친구에게 소개하기

대화	80쪽

□ **대화문 확인**

  ① 대화문을 눈으로 읽으면서 대화의 음원을 듣게 하기

  ② 학생들에게 1)~3)의 질문하기

  ③ 대화문을 소리 내어 읽어 보기

⊕ **더 알아봐요**

  〈대화〉 내용에서 결제 방법의 변화를 소개한 것과 관련하여 〈더 알아봐요〉는 '변화'에 대한 속담을 제시하고 설명한다.

⊕ **더 알아봐요**

  간편 결제가 갈수록 증가할 것이라는 전망을 나타내기 위해 사용한 '-는 것으로 보인다'를 통해 조심스럽게 전망을 나타내는 표현 방식을 제시한다.

대화 속 문법	-(으)나	80쪽

□ **설명**

　　• 의미

　　　앞에 나오는 내용과 뒤에 나오는 내용이 반대되는 내용임을 나
　　　타낸다.

　　• 형태

동사/형용사+(으)나
많다 → 많으나
생각하다 → 생각하나

　　• 예문

　　　일찍 출발했으나 차가 막혀서 지각을 했다.

　　　청년 인구는 줄어드나 노인 인구는 계속 증가한다.

　　　예전에는 아이를 많이 낳았으나 요즘은 낳지 않는 부부도 많다.

□ **특징 및 제약**

　　① '-(으)나'는 구어나 일상적인 상황에서보다는 문어나 격식적인
　　　상황에서 더 많이 사용된다.

　　　　예 서울은 눈이 내렸으나 부산은 눈이 내리지 않았어요. (?)

　　　　　서울은 눈이 내렸으나 부산은 눈이 내리지 않았습니다.(○)

　　② 과거 '-았/었-', 미래·추측의 '-겠-'과 결합한다.

　　　　예 이 식당은 가격은 비싸나 맛이 하나도 없다. (○)

　　　　　이 식당은 가격을 올렸으나 여전히 인기가 많다. (○)

　　　　　오늘은 참겠으나 다음에는 참지 않을 것이다. (○)

◉ **번역해 보기**

　　- 글의 내용을 학생들이 돌아가면서 한 문장씩 번역해 보게 한다.

　　- 친구의 번역과 자신의 번역이 같은지 비교해 보게 한다.

□ **쓰기**

　　① 그래프를 보고 텔레비전 시청 시간과 인터넷 사용 시간의 변
　　　화에 대해서 글쓰기

　　② 그래프를 보고 중요한 정보 확인하기

　　③ 표나 그래프의 내용을 글로 표현할 때 자주 사용하는 표현 소
　　　개하기

　　④ 텔레비전 시청 시간과 인터넷 사용 시간의 변화에 대한 글 발
　　　표하기

더하기 활동 | 59쪽

① 학생들에게 1인 가구의 증가 현상에 대해서 알고 있는지 물
　어보기

② 〈더 읽어 보기〉를 읽어 보며 한국 사회의 1인 가구 증가와
　이에 따른 사회 변화에 대해 알아보기

* 교사는 인터넷에서 한국 사회의 1인 가구 증가에 관한 통계
　나 영상을 추가로 보여 줄 수 있다.(1인 가구 대상 관찰 예능
　등)

③ 학생들이 추가적으로 알고 있는 1인 가구 증가에 따른 사회
　변화에 대해 이야기해 보기

어휘와 표현	변화	81쪽

□ **학습**

　　① 제시된 그래프를 보고 관련 어휘 찾기

　　② 어휘 설명하기

　　③ 어휘 소리 내어 읽어 보기

　　* 교재에서 제시한 변화 관련 어휘 외에 다른 어휘는 무엇이 있
　　　을지 이야기할 수 있다.

　　　　예 상승, 하강, 대폭 등

읽고 쓰기	82~83쪽

□ **읽기**

　　① 학생들에게 어떤 책(종이책, 전자책, 오디오북)을 주로 읽는지
　　　독서 방법에 대해서 질문하기

　　② 1), 2)번 문제를 풀기

　　③ 1), 2)번에 대한 답 확인하기

4B 10

저는 인터넷에서 실명을 써야 한다고 생각해요

- 예문

  긍정적인 사고는 건강에 도움이 된다고 생각한다.

  나는 그 청년의 행동이 정말 용감하다고 생각한다.

  우리 대학의 가장 큰 장점은 장학 제도라고 생각한다.

□ **특징 및 제약**

① '-았/었-', '-겠-' 뒤에 사용할 수 있다.

　예 내 생각을 이야기하길 잘했다고 생각한다.

　　이 옷이 친구에게 잘 어울리겠다고 생각했다.

듣고 말하기	87쪽

□ **듣기**

① 1)번 문제를 보며 듣기의 목표(두 사람이 이야기하는 것이 무엇인지 듣기) 확인하기

② 음원을 들으며 1)번 문제 풀고 확인하기

③ 2)번 문제를 보며 들으면서 파악해야 할 세부 내용 확인하기

④ 음원을 들으며 2)번 문제를 풀고 확인하기

□ **말하기**

소요 시간 및 학생 수를 고려하여 두 가지 방식으로 진행할 수 있다.

방식 1	① 예문 살펴보기 → ② 토론하고 싶은 주제를 한 가지 선택하여 찬성과 반대 그룹으로 나누기 → ③ 토론하기
방식 2	① 예문 살펴보기 → ② 세 그룹으로 나누기 → ③ 그룹별로 다른 주제를 선택하여 토론하기 → ④ 정리하여 발표하기

도입	84~85쪽

□ 그림 속 사람들이 무엇을 하고 있는지 이야기한다. 그리고 최근 학생들의 나라에서 이슈가 되고 있는 토론 주제를 이야기해 보게 한다.

　* 교사는 사진, 설문 조사 그래프 등의 자료를 보여 주며 한국에서 이슈가 되고 있는 토론 주제 거리에 대해 소개할 수 있다.

□ 인터넷 실명제를 설명하고, 학생들 나라는 어떠한지 물어본다. 그리고 인터넷 실명제에 대한 학생들의 생각을 이야기하게 한다.

　* 개인 발표를 하거나 찬성과 반대 그룹으로 나누어 토론할 수 있다.

문법	-는다고/ㄴ다고/다고 생각하다	86쪽

□ **설명**

- 의미

  앞에 나오는 자신의 생각이나 의견을 표현할 때 쓴다.

- 형태

동사+는다고/ㄴ다고 생각하다	형용사+다고 생각하다	명사+(이)라고 생각하다
잘하다 → 잘한다고 생각하다	어렵다 → 어렵다고 생각하다	정답 → 정답이라고 생각하다

대화	88쪽

□ **대화문 확인**

① 대화문을 눈으로 읽으면서 대화의 음원을 듣게 하기

② 학생들에게 1), 2)의 질문하기

③ 대화문을 소리 내어 읽어 보기

⊕ **더 알아봐요**

'선플'과 '악플'을 설명한다.

　* 인터넷 댓글과 관련된 한국의 공익 광고 영상이나 포스터를 보며 댓글 문화에 대해 이야기해 볼 수 있다.

대화 속 문법	-는/(으)ㄴ 거 아닐까 하다	88쪽

□ **설명**

• 의미

앞에 나오는 자신의 생각이나 의견을 확실하지 않은 것처럼 약하게 표현할 때 쓴다.

• 형태

동사+는/(으)ㄴ 거 아닐까 하다	형용사+(으)ㄴ 거 아닐까 하다
돌아오다 → 돌아온 거 아닐까 하다	넓다 → 넓은 거 아닐까 하다

• 예문

그 매장의 서비스가 좋아져서 손님이 늘어난 거 아닐까 해요.

친구가 자꾸 시험에 떨어져서 우울한 거 아닐까 해요.

그 친구 때문에 문제가 너무 복잡해진 거 아닐까 해요.

□ **특징 및 제약**

'-는/(으)ㄴ 거 아닐까 하다'는 '-는/(으)ㄴ 거 아닐까 싶다'로 바꾸어 쓸 수 있다.

더하기 활동 | 65쪽

① 〈더 읽어 보기〉를 읽고 한국 사람들이 의견을 주고받는 온라인 공간 이해하기

* 교사는 학생들과 함께 의견을 주고받는 공간을 만들어 수업, 세종학당 생활, 과제 등에 대한 의견을 나눠 볼 수 있다.

② 학생들 나라에서는 어떠한 방법으로 의견을 주고받는지 비교해 보기

어휘와 표현	찬성과 반대	89쪽

□ **학습**

① 그림과 관련된 어휘와 표현을 찾기

② 어휘 설명하기

③ 어휘 소리 내어 읽어 보기

④ 2번 문제 읽고 규칙에 대한 자기 생각 말하기

* 교사가 학생들에게 특정 상황을 제시하거나 학생들 스스로 토론이 필요한 주제를 찾아서 토론하게 할 수 있다.

읽고 쓰기	90~91쪽

□ **읽기**

① 인터넷 기사와 댓글에 대한 글 읽기

② 1), 2)번 문제 풀기

③ 1), 2)번에 대한 답 확인하기

◉ **번역해 보기**

인터넷 기사, 댓글 1, 댓글 2를 그룹별로 나누어 번역하고, 그룹별로 바꾸어 읽어 보기

□ **쓰기**

① 읽기 자료에 대한 자기의 입장 정하기

② 자신의 입장을 댓글로 쓰기

③ 완성된 글(댓글) 발표하기

10년 후엔 행복한 가정을 이루고 있지 않을까 싶어요

| 도입 | 92~93쪽 |

□ 그림 속 사람들의 인생 계획이 무엇인지 이야기한다. 그리고 자기의 인생 계획을 이야기해 보게 한다.
   * 한국어를 배운 후에, 졸업한 후에, 취직한 후에, 결혼한 후에 등으로 질문을 이어갈 수도 있다.
□ 한국 사람들이 평균적으로 어떤 일을 하는 연령에 대한 소개를 함께 보고, 학생들 나라와 비교하여 이야기해 보게 한다.
   * 연령대에 따라 어떠한 일을 해야 한다는 사회적 고정관념에 대한 자기 생각을 이야기해 볼 수 있다.

| 문법 | -지 않을까 싶다 | 94쪽 |

□ **설명**
   • 의미
   미래의 불확실한 계획이나 상황을 표현할 때 쓴다.
   • 형태

동사+ 지 않을까 싶다	형용사+ 지 않을까 싶다	명사+ (이)지 않을까 싶다
만나다 → 만나지 않을까 싶다	뜨겁다 → 뜨겁지 않을까 싶다	선생님 → 선생님이지 않을까 싶다

   • 예문
   마당이 있는 집으로 이사 가면 강아지를 키우지 않을까 싶어요.
   운동하고 나면 스트레스도 풀리고 기분도 상쾌해지지 않을까 싶어요.
   여행객들 사이에서 이야기하고 있는 저 사람이 문화관광해설사지 않을까 싶네요.

□ **특징 및 제약**
   '-지 않을까 싶다'는 '-지 않을까 하다, 생각하다, 고민되다, 걱정되다' 등의 동사와 함께 쓰일 수 있다.

| 듣고 읽기 | 95쪽 |

□ **듣기**
   ① 1)번 문제를 보고 듣기의 목표(안나의 한 달 뒤 계획) 확인하기
   ② 음원을 들으며 1)번 문제를 풀고 확인하기
   ③ 2)번 문제를 보며 들으면서 파악해야 할 세부 내용 확인하기
   ④ 음원을 들으며 2)번 문제를 풀고 확인하기

□ **읽기**
   ① 〈우리의 빛나는 30대〉에 대한 글 읽기
   ② 1), 2)번 문제를 풀기
   ③ 1), 2)번에 대한 답 확인하기

| 대화 | 96쪽 |

□ **대화문 확인**
   ① 대화문을 눈으로 읽으면서 대화의 음원을 듣게 하기
   ② 학생들에게 1) ~ 3)의 질문하기
   ③ 대화문 소리 내어 읽어 보기

⊕ **더 알아봐요**
   한국의 시간 관련 표현에 대해 알아보고 학생들 나라에서는 어떻게 표현하는지 비교해 본다. 또 언제 그런 표현들을 실감하는지 그 상황에 대해서도 이야기해 볼 수 있다.

| 대화 속 문법 | -기보다는 | 96쪽 |

□ **설명**
   • 의미
   앞에 나오는 내용이 아니라 뒤에 나오는 내용을 선택함을 나타낼 때 쓴다.

- 형태

동사/형용사+기보다는	명사+(이)라기보다는
움직이다 → 움직이기보다는 힘들다 → 힘들기보다는	실수 → 실수라기보다는

- 예문

  망설이기보다는 용기 내어 도전해 보지 그래요?

  오랫동안 함께하다 보니 친구라기보다는 가족 같은 사이가 되었어요.

□ **특징 및 제약**

① 과거 시제 어미 '-았/었-' 뒤에 쓰일 수 없다.

   ㉠ 저는 고등학교 때 공부를 잘했기보다는 뭐든지 열심히 하던 학생이었어요. (×)

더하기 활동 | 71쪽

① 〈더 읽어 보기〉를 읽고 각 주제에 대한 자기 생각 말하기

② 학생 나라에도 이러한 변화가 있는지, 있다면 어떠한지에 대해 이야기하기

* 교사는 고정관념을 깨고 자신의 의지대로 인생 계획을 세워 가는 사람을 표현하는 신조어를 소개할 수 있다.

㉠ 파이어족, 딩크족, 슬로비족 등

어휘와 표현	인생 계획	97쪽

□ **학습**

① 제시된 그림과 관련된 어휘 찾기

② 어휘 설명하기

③ 어휘 소리 내어 읽어 보기

④ 제시된 어휘를 사용하여 5년 뒤, 10년 뒤 자신의 모습 이야기해 보기

* 교재에서 제시한 인생 계획 관련 표현 외에 무엇이 있을지 이야기할 수 있다.

   ㉠ 귀농하다/세계 일주를 하다 등

쓰고 말하기	98~99쪽

□ **쓰기**

① 자신의 인생 목표, 버킷 리스트, 이에 필요한 활동 등을 떠올리며 인생 계획에 대해 생각해 보기

② 인생 계획에 관한 글쓰기

□ **말하기**

① 완성된 글을 바탕으로 발표하기

② 친구의 발표를 들으면서 궁금한 것 질문하기

◉ **통역해 보기**

- 말하기 활동과 연계하여 통역해 보기 활동을 할 수 있다.

- 짝 활동으로 한 사람이 인생 계획에 대해 이야기하면 다른 한 사람은 학생 나라의 언어로 통역한다.

- 나머지 학생들은 통역이 맞는지 확인하며 듣는다.

4B 12

벌써 졸업을 한다니! 믿기지가 않습니다

| 도입 | 100~101쪽 |

□ 그림 속 사람들이 무슨 이야기를 할지 그림 속 인물이 되어 이야기해 본다.

□ '졸업'을 생각하면 연상되는 것이 무엇인지 이야기해 보고, 한국과 학생들 나라의 졸업 문화에 대해 비교해 본다.

| 문법 | -는다니 / ㄴ다니 / 다니 | 102쪽 |

□ 설명
　• 의미
　　앞에 나오는 뜻밖의 내용에 대해 놀라움이나 감탄을 표현할 때 쓴다.
　• 형태

동사+는다니 / ㄴ다니	형용사+다니	명사+(이)라니
끊다 → 끊는다니	지루하다 → 지루하다니	유학 → 유학이라니

　• 예문
　　이렇게 과학이 발달한 세상에서 미신을 믿는다니. 이해할 수가 없네요.
　　회사 분위기가 이렇게 자유롭다니. 정말 부럽네요.
　　이것이 피카소의 작품이라니. 정말 멋지네요.

□ 특징 및 제약
　① 과거 '-았/었-', 미래·추측 '-겠-' 뒤에서는 '-다니'를 결합하여, '-았다니/었다니', '-겠다니'로 쓴다.
　　📌 아들이 벌써 이렇게 컸다니. 시간이 정말 빠르다.
　　　이렇게 날씨가 추운데도 외출을 하겠다니.
　② 부정문은 '-지 않는다니', '안 -는다니'로 쓴다.
　　📌 그 사람과 결혼을 하지 않는다니. 놀라운 소식이네요.
　　　그 사람과 결혼을 안 한다니. 놀라운 소식이네요.

| 읽고 듣기 | 103쪽 |

□ 읽기
　① 대화 글 읽기
　② 1), 2)번 문제 풀기
　③ 1), 2)번에 대한 답 확인하기

□ 듣기
　① 1), 2)번 문제를 보며 들으면서 파악해야 할 것 확인하기
　② 음원을 들으며 1), 2)번 문제 풀고 확인하기

⊕ 더 알아봐요
한국 라디오를 들을 수 있는 애플리케이션에 대한 경험과 정보를 나눌 수 있다.

| 대화 | 104쪽 |

□ 대화문 확인
　① 대화문을 눈으로 읽으면서 대화의 음원을 듣게 하기
　② 학생들에게 1), 2) 질문하기
　③ 대화문을 소리 내어 읽어 보기

⊕ 더 알아봐요
〈대화〉 내용 중 안나가 소감을 말할 때 사용한 표현을 주목하여 보고, 다른 표현들은 뭐가 있는지 함께 이야기해 볼 수 있다. 또 학생들에게 이와 같은 표현을 사용하여 4단계 수업을 마치는 소감을 한 명씩 이야기해 보게 한다.

| 대화 속 문법 | -기를 바라다 | 104쪽 |

□ 설명
　• 의미
　　앞에 나오는 내용이 일어나기를 희망한다는 것을 표현할 때 쓴다. '-길 바라다'라고도 쓴다.

• 형태

동사/형용사+ 기를 바라다	명사+(이)기를 바라다
성공하다 → 성공하기를 바라다 편안하다 → 편안하기를 바라다	소식 → 소식이기를 바라다

• 예문

자연재해로 인한 피해가 빨리 복구되기를 바랍니다.

선생님께서 언제 어디서나 평안하시길 바랍니다.

네가 좋아하는 사람이 나이기를 바라.

더하기 활동 | 77쪽

① 〈더 읽어 보기〉를 읽고 가장 마음에 드는 수상 소감과 그 이유 이야기해 보기

② 세계적인 유명인이나 학생들 나라의 인물 중 오래 기억되는 수상 소감 소개하기

어휘와 표현	심정과 소감	105쪽

□ **학습**

① 그림을 표현하는 어휘 찾기

② 어휘 설명하기

③ 어휘 소리 내어 읽어 보기

④ 제시된 어휘를 사용하여 최근에 느낀 자신의 심정이나 소감 말하기

* 교재에 제시된 심정이나 소감 표현 외에 어떠한 표현이 있는지 생각해 본다.

　　예 후련하다/막막하다/갑작스럽다/황당하다/미련이 남다 등

쓰고 말하기	106~107쪽

□ **쓰기**

① 졸업을 앞둔 심정에 대해 이야기하기

② 세종학당을 다니면서 가장 기억에 남았던 일 이야기하기

③ 세종학당을 다니면서 가장 좋았던 것과 어려웠던 것 이야기하기

* 소요 시간 및 학생 수를 고려하여 개인 발표 또는 짝 활동 대화문 구성으로 진행할 수 있다.

□ **말하기**

① 앞에서 쓴 내용을 바탕으로 졸업 소감문 쓰고 발표하기

* 세종학당에 바라는 점, 졸업 후의 계획 등을 함께 쓸 수 있다.

◉ **통역해 보기**

- 짝 활동으로 한 사람이 발표하는 내용을 반 친구들에게 통역해 준다.

- 반 친구들은 통역이 맞는지 확인하며 듣는다.

메모

메모

메모

세종한국어 | 교사용 지도서 4

문화체육관광부
국립국어원

(07511) 서울 강서구 금낭화로 154
전화: +82 (0)2-2669-9775
전송: +82 (0)2-2669-9747
홈페이지 http://www.korean.go.kr

기획·담당	박미영	국립국어원 학예연구사
	조 은	국립국어원 학예연구사
책임 집필	이정희	경희대학교 국제교육원 교수
공동 집필	최은지	원광디지털대학교 한국어문화학과 교수
	김금숙	상지대학교 한국어문화학과 조교수
	김민경	고려대학교 교양교육원 초빙교수
	김가람	전북대학교 교과교육연구소 연구교수
	윤세윤	경희대학교 국제교육원 객원교수
	최은정	경희대학교 국제교육원 객원교수
	강혜은	칭다오2 세종학당 한국어 교원
집필 보조	김민아	서울대학교 국어교육과 박사수료
	김지예	고려대학교 교양교육원 강사
	정성호	경희대학교 국어국문학과 박사수료
	서유리	경희대학교 국어국문학과 박사과정

초판 1쇄 인쇄	2022년 8월 15일
초판 1쇄 발행	2022년 9월 1일
	ISBN 978-89-97134-49-6 (14710)
	ISBN 978-89-97134-21-2 (세트)

출판·유통	공앤박 주식회사 (www.kongnpark.com)
	(05116) 서울시 광진구 광나루로56길 85, 프라임센터 1518호
	전화: +82 (0)2-565-1531
	전송: +82 (0)2-3445-1080
	전자우편: info@kongnpark.com

총괄 | 공경용
책임 편집 | 이유진, 이진덕, 여인영
편집 | 김령희, 성수정, 최은정, 함소연
아트디렉팅 | 오진경
디자인 | 이종우, 서은아, 이승희
제작 | 공일석, 최진호
IT 지원 | 손대철, 김세훈
마케팅 | Sung A. Jung, Paulina Zolta, 윤성호